D0271664

DE ERFENIS

J. VISSER-ROOSENDAAL

UITGEVERIJ J. H. GOTTMER-HAARLEM

ISBN 90 257 0197 3
Ontwerp stofomslag: Reint de Jonge
Druk: Amicitia, Bloemendaal

Eerste hoofdstuk

Met gefronst voorhoofd keek Fred Bootsman naar buiten op het uitzicht dat hem vanuit zijn kamer geboden werd. Een huizenblok, gelijk aan dat waar hij in woonde en een stukje grijsachtig blauwe lucht daarboven.
Dat Ria hem nu weer zo in de steek liet . . .
Goed . . . zij had hun plannen voor morgen al geregeld . . . eerst 's morgens bij haar ouders koffiedrinken, dan met zijn auto naar Geert en Lucie, haar zwager en zuster in Hilversum, een mooi ritje op zondagmiddag, dan tegen etenstijd weer naar huis waar haar moeder weer een heerlijk etentje voor hen zou hebben en dan samen naar zijn kamer om nog wat te praten en te vrijen.
Hij had dat voor deze ene keer zo graag anders gewild, maar Ria had niet eens willen luisteren. De zondag was nu eenmaal háár dag en daar stond ze geen uur van af, hoe graag hij dit voor deze ene keer ook wilde.
„Ga dan zaterdag," had ze gezegd. „Ik moet dan toch de hele dag werken en jij kunt lekker doen wat je wilt."
„Maar ik ga er graag samen heen," hield hij aan. „Dan kan jij het huis ook eens zien."
„Dat huis . . ." Ria snoof minachtend. „Oh, dat doen we wel eens op een andere zondag. Ik heb nou geen zin om naar die negorij te gaan terwijl Luus ons verwacht."
„Dan niet," had hij kortaf gezegd en toen zijn eigen plannen maar gemaakt.
Zaterdag, had Ria gezegd. Wel, dan ging hij op zaterdag.
Had hij alles? Sigaretten, aansteker, autosleutels . . .
Zoekend gleden zijn vingers langs zijn jas terwijl hij tegelijk nog even zijn kamer rond keek.
Een heel aardige kamer voor de wat slordige vrijgezel die hij nog was.
Ja, dat had ie maar goed getroffen toen hem zes jaar geleden hier in Amsterdam werk werd aangeboden dat hem aantrok.

Niet dat het ooit een rijke baan zou worden, doch dat hinderde Fred niet. Hij was geen strever. In het laboratorium waar zijn taak lag vond hij genoegen in zijn werk. Bovendien vond hij er een paar vrienden. En die had hij nodig. Toen vooral. Hij was zo eenzaam na het tweede huwelijk van zijn moeder. Hij had zijn vader nooit gekend. Die was door een stom ongeluk gedood voor hij geboren werd. Ja, als dat toen niet was gebeurd . . . Even flitste het door Freds gedachten hoe anders zijn leven dan geweest zou zijn. Maar omdat de jonge weduwe grotendeels zelf in haar bestaan moest voorzien werd hij de eerste tijd bij familie ondergebracht, tot zij hertrouwde met een jaloerse man die hem niet dulden kon, tot groot verdriet van moeder voor wie de man verder een zeer goed echtgenoot was.
Gelukkig voor hem bestonden er toen in het rustige dorp waar hij nu heenging een oudoom en tante van zijn vader, die na diens dood het contact met de weduwe hadden aangehouden en naderhand veel belangstelling toonden voor het kind dat naar de overleden vader ook Frederik was genoemd. Het gevolg daarvan werd dat hij iedere vakantie van de eerste tot de laatste dag bij dit echtpaar doorbracht en dan meer genoot dan in alle andere dagen van het hele jaar bij elkaar.
En nu ging hij er ook weer heen. Maar veel minder blij dan toen, want hij zou er niets anders vinden dan een leeg huis en een verlaten erf, al was dit alles dan nu van hem. Hij was blij met deze erfenis, dat wel. Maar veel en veel liever zou het hem zijn als oom Klaas en tante Zwaantje hem weer net als vroeger blij tegemoet kwamen en hem dan gingen verwennen met koffie, koek en hartelijkheid. Ja, vooral dat laatste.
Maar ze waren allebei dood. Eerst tante. Ze was al oud, dat wel, maar toch stierf ze nog te vroeg, want toen zij overleed verdween tegelijk alle levensmoed uit haar man. In één maand tijd was het kwieke heertje een suffe oude man geworden die zijn huis aan een ander verhuurde en zich daarna zelf in een bejaardenhuis liet opnemen. Daar was oom al spoedig gestorven. Kom, nu moest hij toch werkelijk gaan.
Snel daalde Fred de trap af naar de huiskamer van de mensen bij wie hij inwoonde. Hij trof hen nog aan de thee. Een echtpaar van middelbare leeftijd die hem in zijn gehuurde kamer alle mogelijke vrijheid lieten. Ze hadden hem indertijd meer voor

de gezelligheid genomen dan om de winst van zijn kostgeld. Hijzelf had vanmiddag zijn thee al eerder gekregen. Heet en niet te sterk, precies zoals hij die graag had.
„Je treft goed weer op je tocht," zei de man. „Hoelang denk je erover te doen?"
„Oh, ik doe het rustig aan. Een klein uurtje," antwoordde Fred. „En u hoeft geen drukte te maken. Ik scharrel mijn kost wel ergens op."
„Bij Ria thuis," vorste de vrouw.
„Vermoedelijk wel," gaf Fred toe. „Tot morgen dus maar. Ik wens u een prettige avond."
„En wij jou een goeie reis."
Het ging weer net als steeds in al deze jaren. Niet al te eigen, niet al te vreemd. Precies de verhouding die tussen hem en deze mensen paste. Hij zou dit wel missen als hij straks getrouwd was. Hoewel dat nog wel even duren zou. Ze maakten tot dusver nog weinig haast met een huwelijk al hadden ze direct na hun verloving wel een woning aangevraagd. Maar die bezaten ze nu zelf. Dus wat dàt betreft . . .
Waarom wou Ria toch morgen niet met hem mee om die te bekijken? Zolang dit huis zijn eigendom was had zij het nog nooit gezien. Toen gaf ze voor dat het was omdat het nog door anderen werd bewoond, doch nu stond het leeg op hen te wachten. En ze wilde nòg niet. Want dat ritje naar haar zuster zou de volgende zondag ook wel kunnen gebeuren.
„Het heeft de tijd nog wel," had ze hem steeds voorgehouden. „Dat huis loopt niet weg."
En als hij over een mogelijke zelfbewoning ervan sprak, dan glimlachte ze enkel maar en bedacht tegelijk een ander onderwerp om over te praten.
Ze hadden gespaard. Ria vooral. Zij wou in haar huis het mooiste van het mooiste en het beste van het beste hebben, zoals ze altijd lachend zei. Waarmee ze dan enkel de meubelen en het verdere huisraad bedoelde dat zij zelf mooi en best vond. Hoe hij daar over dacht telde ze niet. Hij had immers zijn auto. Een aankoop waar zij zich nooit mee had bemoeid, al slokte die een groot deel van zijn spaargeld op.
Intussen was Fred op straat gekomen. Hij groette zijn buurman aan de overkant die bezig was zijn auto te wassen en één van

twee huizen verder die zijn hond uitliet.
Ja, het was hier een prettige buurt om in te wonen.
Nette, vriendelijke mensen, evenals die in de straat waar Ria's ouders woonden. Alleen was daar de wijk veel mooier. De huizen waren ruimer, er waren overal brede, korte trappen met ruime portalen die naar de woningen leidden en midden in de brede straten waren perken aangelegd waarin niet alleen bloemen maar ook bomen groeiden.
Ria's droom van voorheen was om daar voor hen ook eenmaal een woning te krijgen. Driehoog ... vierhoog ... dat scheelde haar niet. En van haar moeder was dit één der liefste wensen. Maar als die allebei zijn huis eenmaal van binnen en van buiten hadden gezien zou dat snel veranderen.
Hij stapte in, startte en reed kalm weg langs de andere auto's die de toch al smalle straat nog benauwender maakten. Daarna kreeg hij meer ruimte. Zou hij nog langs de kapsalon rijden waar Ria werkte? Misschien hoorde ze zijn signaal tussen alle andere geluiden door.
Wat een geluk dat ook zij zoveel plezier in haar werk vond, hoewel dat niet altijd even gemakkelijk zou zijn. Gelukkig was ze stevig gebouwd, steeds gezond en bezat ze een goed humeur. De zachte en toch vrolijke toon van haar stem en een milde lach maakten haar tot één der uitverkoren helpsters in de drukbezochte salon, waar ze nu al meer dan vier jaar werkte.
Vier jaar ... En zolang duurde ook hun omgang al. Hij had haar toevallig tijdens een jubileumfeestje bij een van zijn collega's ontmoet, waarheen een neef van de jubilaris haar had meegenomen. Hijzelf was daar alleen. Zijn laatste vluchtige verkering was juist uitgeraakt en hij was op zoek naar een meisje met een beter humeur. En toen hoorde hij aan het andere eind van het voor dit feest gehuurde zaaltje tijdens een kleine gesprekspauze Ria's lach en haar stem. En die deden hem iets. Langzaam was hij in haar richting gedwaald en toen zag hij een fors, knap meisje in een zachtgroen wollen pakje, met donker, fraai opgemaakt haar, een rond gezicht en bruine ogen. Hij had nog zelden een gelaat gezien dat er zo verzorgd en gaaf uitzag. Het was zo kunstig opgemaakt dat je niet zag waar de natuur eindigde en de kunst begon. Doch dat was het niet alleen wat hem boeide. Het was het stralende dat van haar uitging. Als ze

naar je keek voelde je jezelf opeens niet meer eenzaam tussen al de hem merendeels vreemde mensen. Gelukkig stond er juist een vage kennis bij dit groepje die hen vluchtig aan elkaar voorstelde. En dat was voor hen genoeg om die avond bij elkaar te blijven en een afspraak te maken voor een film die ze allebei graag wilden zien. Al spoedig nam ze hem mee naar haar ouders. Prettige mensen, waar hij goed mee overweg kon, evenals met haar zuster en zwager. Hij voelde zich al spoedig geheel in de familie Berger opgenomen. Twee jaar na hun kennismaking hadden ze zich verloofd en spaarden van toen af nog scherper om alles te krijgen zoals Ria dat wenste. Ja, die wensen van Ria. Ze prikkelden hem vaak tot verzet, al uitte hij dit niet in woorden. Hoe goed en lief ze overigens ook was, ze regelde graag al het gebeuren en ze werd kregelig als dat niet met zijn plannen strookte. En dan liet hij het maar zo. Je kon tenslotte niet àlles hebben. Want verder was tussen hen alles goed. De mensen bij wie hij in huis was gingen meermalen per week 's avonds uit naar kennissen of hun getrouwde kinderen en dan hadden Ria en hij daar de volle vrijheid om samen te zijn.

Nee, voor een huwelijk hadden ze tot nu toe geen haast gevoeld. Dat was immers niet nodig. Maar nu had hij een eigen huis. Een heerlijk huis op een vrij erf met bomen ervoor en erachter en een stukje tuin. En dat in een betrekkelijk rustig dorp, vanwaar hij met zijn auto binnen een uur op zijn werk in Amsterdam kon zijn. En met de trein zou het niet veel langer duren. Bovendien was er in de naaste omgeving ook wel gelegenheid voor Ria om de eerste jaren na hun huwelijk te blijven werken zoals haar plan was. Er waren salons genoeg waar zo'n prima kapster van harte welkom was. Nu had ze daar nog geen kijk op. Maar als ze zijn huis gezien had zou ze er vast heel anders over gaan denken.

Fred reed de stad uit en genoot als steeds van Noord-Holland in de lente. Trage wolken onderschepten nu en dan het zonlicht en een sterke wind joeg het water in vaarten en sloten rimpelend voort, waardoor de wolken als grillige figuren erin werden weerspiegeld. Hij zag in het langsgaan hoe het gras al een frisser aanzien kreeg en het bolgewas op de akkers reeds ontsproot. Aan de meeste boomtakken zwollen de knoppen en

enkele vroege heesters pronkten reeds met een pril groen waas. Hoe zou het dáár zijn? Bij hem in zijn huis?
Fred glimlachte even. Had hij ooit wel een thuis gekend? Zo'n plekje waar je voelt dat je hoort en waar je je veilig en gelukkig voelt, hoe de verdere omstandigheden ook zijn?
Dat gebeurde enkel maar bij oom Klaas en tante Zwaantje. Anders nooit en nergens. Hij had het nu ook goed, best zelfs, maar je bleef toch een soort van gast bij anderen.
De kleine grijze auto boorde zich dapper door de wind, de motor gonsde gezellig en Fred voelde zich tevreden met het uitzicht op de omgeving en zijn eigen plaatsje in de wagen. Hem passeerden mooiere en grotere wagens, enkele andere haalden hem in en reden voorbij die ook duurder en beter waren, doch dit scheelde hem niet. Zijn eisen waren bescheiden geweest. Hem paste een niet te dure wagen die weinig parkeerruimte vroeg en waar niet ieder vlekje en elk stofje dadelijk op zichtbaar waren. En zo was het deze geworden. Ruim voor twee personen, maar als het moest ook geschikt voor vier, al gebeurde dit nooit omdat al hun familie en kennissen zelf een auto bezaten.
De zon daalde snel doch stond toch nog hoog genoeg om hem bij het naderen van het dorp dit in al zijn rust en schoonheid te tonen. Hij reed erheen langs een omweg zodat hij het vanaf een dijk kon zien. Op een inhaalstrook stopte hij even en stapte uit. Daar lag het, zich strekkend naar het westen en dan verder naar het zuiden waar aan het eind van dit beeld, omringd door een krans van nog kale bomen, de kerk stond met daar dichtbij een blok nieuwbouw waartussen de reeds geplante bomen nog moesten opgroeien. Hij telde de puntdaken der boerderijen tot hij bij één der hoogste kwam waarachter zijn huis verscholen stond. Wat was hij daar vroeger als kind, later als werkende jongen en nog later als dienstplichtig soldaat altijd in blij verwachten naar binnen gegaan. Alleen de laatste keer gebeurde dat met een hart vol verdriet. Dat was op de begrafenis van tante Zwaantje. Maar toen was oom er nog en al het huisraad stond nog op de vertrouwde plaatsen. Daarna hadden er vreemden in gewoond. Nette jongelui volgens oom, maar in zijn gedachten bleven het indringers. En nu zou hij het vreemd en leeg aantreffen, in de kamers zouden zijn stem en stappen hol

weerklinken en de geuren zouden muf zijn, als die van alle oude dingen.
Zou het aan Ria en hem ooit gelukken om aan die woning weer de onvergetelijke sfeer terug te geven die hij er eens had gekend? Het zou met andere, nieuwe dingen moeten gebeuren en het dagelijkse doen zou ook heel anders zijn, maar toch moest het kunnen.
Als zij het straks óók maar zo zien kon.
Nog eenmaal liet hij zijn blik langs de daken glijden terwijl de wind door zijn goudblonde haar warrelde zodat het zonlicht dit sprankelend deed glanzen.
Dan stapte hij weer in en reed naar het dorp waar het huis op hem wachtte.

Tweede hoofdstuk

Gelukkig voor hem was er weinig verkeer zodat hij onder het rijden alles in zich kon opnemen. Er waren huizen gesloopt en ook verbrand. Daar waren andere voor in de plaats gekomen waaraan hij eerst zou moeten wennen. Soms vond hij een nieuw huis mooi en passend, andere trokken hem minder aan. Toch ... als de stenen en dakpannen van deze nieuwe woningen vaal en verweerd waren gingen ze bij het dorp behoren als hadden ze er altijd gestaan. Zo zou dit ook met het pas verkavelde land gebeuren. Straks zou niemand zich meer de schoonheid van de grillig gevormde akkers en weiden, waar kronkelende sloten zich een eigen weg door vormden, herinneren. Dan ... als het zover was ... zouden de nu nog jonge, doch dan tot volle wasdom gekomen bomen, die langs de rechte polderwegen stonden, tot volle wasdom zijn gekomen en waren de nu merendeels nog naakte woningen omringd door groen. Zo zouden zijn kinderen het later zien en zo zou het hun dan weer dierbaar worden.
Zijn kinderen ... Foei, wat liep hij de tijd weer vooruit. Ze waren nog niet eens getrouwd. En bovendien moest hij Ria nog leren dit moois als door zijn ogen te zien. En wie weet kwamen die kinderen er niet eens. Maar dan zouden ze, net als eens oom Klaas en tante Zwaantje, op een andere manier hun leven gaan vullen en daar anderen van mee laten genieten.
Zo, nu kwam de hoge boerderij in 't zicht waar eens, heel lang geleden, één van zijn voorvaderen had gewoond. Een man die dit hele buurtje in eigendom had gehad. Langzaam passeerde hij de trotse hoeve en toen had hij het volle zicht op het door hem geërfde bezit. Even stokte zijn adem. Hij had verwacht het als een verlaten gebouw te zien waarvan de kale ramen hem hol en onvriendelijk zouden aanzien. Wat hij zag was echter heel anders. Overal hingen net zulke witte gordijntjes als die hij zich van vroeger herinnerde en in het glop tussen die recht neerhangende vitrage stonden planten. Geen bloeiende, het was

blijkbaar een ander soort gewas. Doch dat hinderde niet. Het leek nu net vroeger. Zijn blik gleed verder, langs het lage hek dat het erf van de weg scheidde en de twee vruchtbomen voor het huis die er als het ware bij hoorden omdat ze even oud waren. Dan verder naar achter keek hij langs een later aan het huis gebouwd gedeelte waarin hij de slaapkamer wist, naar de kleine moestuin en de enkele bomen daar. Gelukkig, allès was er nog. De jonge bewoners hadden niets veranderd of vernield. Zelfs de narcissen die al jaren en jaren in kringen rond de bomen stonden toonden reeds hun knoppen. Straks zouden ze als gele kransen in het gras rond de verweerde stammen prijken. Nu eerst maar even doorrijden naar Albert Prins om de huissleutel te halen. Die zou hem wel niet verwachten na zijn wat vaag bericht dat hij eerdaags komen zou. Met Ria dan. Jammer toch dat dit niet doorging.
Wat was het toch een geluk voor oom Klaas geweest dat Albert, toen hij jong weduwnaar werd, daarna met een verre nicht uit de familie trouwde. Wat had hij aan die mensen een steun gehad na het overlijden van tante Zwaantje. Hij had de oude heer met alles geholpen tot diens einde toe. En daarna deed Albert het weer voor hem. Alles wat het huis en de huurders betrof, verzorgde hij. Tot heden dan. Want nu werd het zijn taak. Goed . . . Albert Prins had ook van oom en tante geërfd, maar wat hij dit laatste jaar deed was enkel liefdewerk geweest. Fred reed nog een stukje verder naar een heel aardige woning uit de dertiger jaren, die de gezellige aanblik bood van vele huizen uit die tijd en belde daar aan.
Albert Prins deed zelf open. Een gezette man van middelbare leeftijd.
„Zo, ben je daar," zei hij. „Wij hadden jullie eigelijk morgen verwacht. Waar is je meisje?"
„Die had andere plannen. Dus nu kom ik maar alleen."
„Nou man, kom verder. Mijn vrouw heb zó koffie. Ze brengt effies de kindere in bed."
„Dat liever straks. Ik wil eerst graag het huis zien. Mag ik even de sleutel?"
„Die heb ik niet. Margriet zit daar lekker rustig te studeren. Die wil opeens de Franse taal lere en dat valt hier niet mee met twee kleine jôôns an tafel. Nou doet ze het dus daar maar. En

dan verstookt ze jouw gas en stroom, want er is niks afgesloten."
„Daar hoop ik overheen te komen," zei Fred lachend. „En dan zal ik haar nou maar gaan storen."
„Doen dat. En dan zien we je straks wel èè?"
Fred knikte en liep terug naar zijn auto.
Margriet . . . ? peinsde hij. Margriet . . . ?
Zou dat het spichtige blonde kind zijn dat na ooms begrafenis voor de thee zorgde? Dat moest wel. Een ander van dat soort tieners was er niet. Alberts kinderen verschillen zo heel wat in leeftijd. Die Margriet was uit zijn eerste huwelijk en bij deze vrouw, Dora Bierhaalder, heeft hij die twee kleine rakkers. Dus dat meisje zit graag in mijn huis. Nou, ik kan dat kind geen ongelijk geven. Maar het zal er wel ongezellig zijn in die lege kamers of zou zo'n jong ding daar niet om geven?
Nu stopte hij dan voor zijn eigen huis. Een doodgewoon gebouw zoals er nog talloze staan in alle dorpen. Een wat deftige voordeur met aan weerszijden twee ramen en een schuinlopend dak waaruit een kloeke dakkapel naar voren steekt. Het waren enkel de dierbare herinneringen die het voor Fred zo wondermooi maakten.
Ook hier belde hij weer aan. Meteen hoorde hij al vlugge voetstappen en werd de deur geopend. In de deur stond een heel slank meisje in een spijkerbroek en een wat slordige trui, dat hem verwonderd aankeek. Ze vond het blijkbaar niet prettig dat hij haar in zijn huis aantrof.
„U zou toch morgen komen?" zei ze halfvragend.
„Dat is zo. Maar dat kon niet doorgaan," zei hij kalm. „En dus besloot ik om het vandaag te doen. Mag ik binnenkomen?"
„Wel, dat spreekt toch vanzelf."
Blozend deed ze een pas opzij. Glimlachend bezag Fred haar verwarring over zijn komst. En tegelijk haarzelf. Dit was echter niet het halfvolwassen meisje dat hij zich van die begrafenisdag meende te herinneren. Nu zag ze er ouder uit, al gaf hij haar nog niet meer dan achttien of negentien jaar. Ze had een smal gezicht met een blanke huid en een goedgevormde mond. Haar neus verdikte zich aan de top doch was te recht om een wipneus te zijn. De ogen waren nogal klein en ze hadden een kleur die zowel groen als grijs kon zijn en die hem van tussen dichte

zwarte wimpers tegenblonken. De wenkbrauwen lagen er in sierlijke boogjes boven. Het haar was heel lichtblond en lag in krullen tot op haar schouders. Margriet Prins leek hem een nogal koel meisje toe en hij vond haar knap noch aantrekkelijk. Maar ja, wie geregeld met Ria Berger omging kòn geen andere vrouw ooit begeerlijk vinden. Die straalde zoveel warme hartelijkheid uit en was zo mooi dat elke vergelijking in haar voordeel was.
Nu stapte Fred de gang in, die er kaal en armelijk uitzag zonder loper of wandversiering.
„Wist u dat ik hier was?" vroeg Margriet terwijl ze hem voorging naar de dichtstbijzijnde kamer. Een vertrek dat tante Zwaantje als pronkvertrek gebruikte.
„Ik ben eerst bij je vader aangegaan om de sleutel te halen."
Al sprak zij hem stijf aan met u, daarom hoefde hij dat ook niet te zeggen.
„Oh, ging dat zo," begreep ze nu.
Na haar liep nu ook Fred de kamer in en keek dan verbaasd om zich heen. Daar stonden nog, alsof er niets was gebeurd, al de meubelen die hij zich er uit herinneren kon. De fraaie notenhouten tafel met erbij passende stoelen, het aardige buffetje met tantes geliefde prulletjes erin opgesteld, het grappige wandtafeltje dat hij altijd zo bewonderde en ook de koperen doofpot. Hij zag het pendulestel en de stenen poppetjes die steeds op de schoorsteenmantel stonden, de oude hangklok en de schilderijen aan de wand. Zelfs het karpet en het linoleum waren hem bekend.
„Is dat hier allemaal gebleven?" vroeg hij verbaasd.
„Dit heeft u toch ook geërfd," verklaarde Margriet, met een wijzend gebaar om zich heen. „En dit . . ."
Tegelijk opende ze tantes pronkkast om hem de daarin aanwezige serviezen te tonen. Alles oud. Misschien nog wel ouder dan dit meubilair, maar even weinig, of misschien wel nooit gebruikt.
Ja, . . . nu herinnerde hij zich er weer iets van dat, bij wat oom hem had nagelaten, ook over dit spul gesproken was. Hij had echter aan de meer dagelijkse dingen uit de huiskamer gedacht en het spul nauwelijks geteld. Dit huis en het bedrag aan geld waren hem al verrassing genoeg.

„Waarom nam oom dit moois niet mee naar het tehuis?" peinsde hij halfluid.
„Och, hij voelde zich daar misschien meer thuis in zijn eigen stoel en aan zijn eigen tafel," meende Margriet.
„Ja, dat kan," vond Fred nu ook.
Toen viel zijn oog op een elektrisch kacheltje dat in een der hoeken van de kamer stond en zijn gloed de kamer in zond. Nu begreep hij meteen hoe hier de aangename temperatuur, die het hem hier dubbel prettig maakte, kwam.
„Was die er ook bij?" wees hij plagend.
Margriet lachte zachtjes. Het klonk licht en een beetje kirrend.
„Nee, die is van mij. Mijn vader heeft u zeker wel gezegd dat ik hier dikwijls zit?"
Fred knikte en ging even zitten. Margriet sloot de kastdeur en nam de stoel tegenover hem.
„Waarom kwam u hier nooit eerder kijken?" vroeg ze nu. „De mensen die hier woonden waren erg aardig hoor. Ze beten naar niemand en naar hun huisbaas helemaal niet."
Fred glimlachte.
„Daar twijfel ik niet aan. Maar jouw vader had al wat dit huis aanging steeds voor mijn oom geregeld en ik had nu eenmaal graag dat hij dit nog zolang bleef doen."
Je kon tegen dit meisje niet zeggen dat je dit huis slechts leeg wilde aanvaarden, omdat je er geen ander als bewoner in dulden kon. En dan ook nog . . . Het scheelde Ria niet of zij het wel zag of niet. Zij had het platteland nooit anders gezien als op doortocht en had een heel verkeerde voorstelling van het leven en van de mensen daar. En van de huizen stelde ze zich helemaal niets voor. Maar als ze hier binnenkort eens een dagje was zou ze er wel heel anders over gaan denken.
„U heeft de rest zeker nog niet gezien?" vroeg Margriet nu.
„De rest?" vroeg Fred.
„Ja, van het huis. Is u dan eerst niet achterom gegaan? Daar zou ik het eerst hebben gekeken. Ik zou beslist willen weten of ze daar de boel wel netjes hadden achtergelaten en hoe de tuin er uitzag."
„Daar heb ik niet eens aan gedacht. Ik heb het hier nooit anders gezien dan in de puntjes."
„Zeg dat wel," viel Margriet hem bij. „Ik weet nog heel goed

dat oom Klaas al voor het achterstraatje zijn tuindersklompen uittrok en zo in een paar andere stapte die daar omgekeerd lagen te wachten. En toch had hij die andere bij het verlaten van die tuin op de krabber daar al keurig schoongeschraapt."
Ze staarden nu beiden uit het raam in de schemering en zagen in gedachten weer het zorgvuldige gedoe van de oude heer.
„Ik doe het nu eerst maar," zei Fred en stond op. „Ga je mee?"
„Als ik mag . . . ," nam Margriet dit aan. „Eerst de andere kant maar?"
„Mij best."
Ze staken de gang over naar een andere deur en bezagen de holle ruimte van een lege kamer. Vandaar kwamen ze in de keuken en de bijkeuken. Alles was daar schoon en netjes zonder stof en geurtjes.
„Hebben die mensen hiervoor gezorgd of jouw vader?" besloot Fred een opmerking hierover.
Margriet maakte een ontkennend gebaar.
„Ik deed het," bekende ze rustig. „Ik vond het een naar idee om het hier rommelig te weten. Daarvoor zit ik er veel te graag."
„Braaf meisje," prees Fred. „En zeg, waar sliepen die mensen?"
„Boven. Daar is immers ook een kamer."
„O ja, mijn speelvertrek," wist hij nog. „En nou de andere kant. Tantes binnenkamer heb ik gezien, dus nou de slaapkamers nog even. De zolder en ooms schuurtje doe ik later wel."
De beide slaapkamers waren totaal leeg. In de voorste trof hij in één der wanden de bedstee waarin hij vroeger zo heerlijk sliep als in een somber hol. Snel duwde hij de openstaande deurtjes toe doch Margriet deed ze weer open.
„Dat moet," beweerde ze. „Hier is immers de kelder onder en daarom krijg je hier gauw een oudbakken geurtje. Het is toch wel een mooi ruim huis hè. En zo geriefelijk. Ik zal het missen als jullie hier komt wonen. Wanneer komt je verloofde mee?"
„Morgen over een week!" besliste Fred.
„En trouwen jullie dan al gauw?"
„Zover was het nog niet met ons," ontviel hem nu. „Maar dit heeft alles wel veranderd. Wij hadden niet verwacht dat mijn huurders zo vlug een ander huis zouden vinden. Maar het wordt donker. Zullen we nog naar jou thuis gaan of blijf je nog wat hier?"

„Nee, ik ga mee. Die les komt nog wel. Het is toch maar een liefhebberij van me, al doe ik het graag."
„Je werkt toch hè," meende hij te weten.
„Jazeker. Ik ben assistente op een accountantskantoor. Ik doe daar licht administratief werk en zit dus dagelijks te typen. En daar is alles mee gezegd."
„En doe je dat graag?"
„O ja. Het is prettig werk. En u werkt op een laboratorium?"
Fred vertelde daar ook vlug iets over en zei dan: „Je moet niet telkens u tegen me zeggen. Dat klinkt zo stijf. Waarom niet jij en jou, net als ik doe."
„Goed. Afgesproken."
„En zeg, hou jij voorlopig de sleutel nog maar. Die blijft dan in goeie handen."
Zo kwam het dat hij als eerste naar buiten stapte terwijl Margriet de deur achter hem afsloot. Hij keek naar de egaalgrijze lucht die er door het invallende duister somber uitzag. Hij zag hoe in vele huizen in de wijde omtrek de lichten reeds waren ontstoken die nu als kleine stipjes aan de einder blonken. Fred snoof even en rook de geur die van de naastgelegen boerderij tot hem kwam. De geur van vee en mest. Doch hij miste er iets in dat er vroeger wel was. En hij wist meteen: de boer daar hield geen varkens meer.
Even streek hij met zijn hand langs de muur. De muur van zijn eigen huis.

Derde hoofdstuk

Naast elkaar liepen ze naar het huis van Albert Prins. Fred liet zijn auto blijven waar hij was. Nu stond die nog aan de kant van de weg geparkeerd, maar naderhand, als ze hier eenmaal woonden, ging hij een pad naast zijn woning maken en moest het schuurtje, dat achter op het erf stond, een garage worden. Wat een geluk dat er zoveel ruimte om het huis was.
Met genoegen keek Fred daar nog even naar om.
Bij Prins straalden alle vensters licht uit.
„Het lijkt bij jullie wel een bedrijvige toestand te zijn," vond hij.
„Dat is het er voortdurend," vertelde Margriet. „Mijn broertjes zijn drukke kinderen en hun moeder is daar niet tegen opgewassen. Die geeft ze veel te veel toe. Nu stellen ze het naar bed gaan wel weer zo lang mogelijk uit."
„Doet je vader er dan niks aan?"
„Pa?" Margriet lachte. „Die vindt het allemaal wel goed zolang ze hemzelf met rust laten."
„En jij?"
„Oh, ik vind het schatten van jongens. Maar als ze het mij te bont maken vluchtte ik vroeger altijd al naar oom Klaas en tante Zwaantje, en later naar de kamer waar jij me aantrof. Weet ik thuis de toestand rustig, dan ga ik weer terug."
Dit was nu nog niet zover. Zodra ze de achterdeur inkwamen stormden twee kleine in pyjama's geklede jongetjes op hen toe.
„Ha Margriet," joelde de oudste. „Breng jij ons naar bed? Toe, één keertje."
„Goed. Maar dan nou rustig zijn hoor," beval ze. „Wat moet deze mijnheer wel van jullie denken? Geef hem eens een hand."
Fred stak hun de zijne toe en voelde hoe de kleine vingers zich daarin voegden.
„Hoe heten jullie?" vroeg hij dan.
„Ik ben Jacob Prins."
„Ik Wimjan."

„Zo. Dat weten we dan nu," zei Margriet. „En dit is mijnheer Bootsman. Zeg hem maar goede nacht."
Gehoorzaam deden ze dit en lieten zich dan gewillig meevoeren naar boven, terwijl Fred naar de keuken ging waar hun moeder bezig was voor koffie te zorgen. De opwekkende geur daarvan herinnerde Fred eraan dat hij na zijn vroege thee niets meer gedronken had.
Hun begroeting was kort. Ze kenden elkaar al van de bezoeken die hij voorheen aan het buurhuis bracht. Nu hij in het volle lamplicht stond was Fred blij, dat hij zich voor dit bezoek een beetje zorgvuldig had aangekleed. In zijn bruine sportjasje, de antracietkleurige broek en het beige overhemd met bijpassende das wist hij zich netjes onder de speurende blik van Dora, die er zelf ook onberispelijk uitzag.
Zal die zich nooit ergeren aan de slordige kledij van haar stiefdochter? vroeg hij zich af. Hij zelf zou dit slecht kunnen verdragen. Nee, dan Ria. Altijd correct en smaakvol. Met recht een lust voor je ogen.
Toen Margriet later bij hen kwam en vertelde dat haar broertjes al bijna sliepen na alle drukte van het gestoei na hun bad, vroeg Dora: „Je eet toch zeker een boterham mee, hè Fred?"
„Als het kan zelfs graag twee," nam die dit aan.
In de kamer vonden ze Albert verdiept in zijn krant die hij nu snel opvouwde en weg deed.
„De boel ziet er bij jou daar netjes uit èè," stelde hij vast. „Ja, het jonge stel waar oom Klaas zijn huis aan verhuurde stonde in het dorp al goed anschreven. En ze hewwe die roep ok waar maakt, door in en om zijn huis alles keurig te houwen."
„Wat benne nou jullie planne?" vroeg Dora onder het tafeldekken door, terwijl ze de boter en kaas een plaatsje gaf.
„Dat weten we nog niet," moest Fred bekennen. „Wij hebben geen van beiden verwacht dat die mensen zo gauw een andere woning zouden vinden en dus valt het ons een beetje rauw op het lijf. We moeten onze plannen dus nog maken. En daarvoor moet mijn meisje eerst het huis maar eens zien."
„Het is wel vreemd dat jullie dat nooit r's eerder dede," vond Albert. „Ieder mens bekijkt toch graag af en toe zijn eigendom."
Fred moest dit toegeven. „Maar het kwam er zomaar nooit van," voegde hij er aan toe.

Je kon deze mensen toch niet vertellen hoe slecht je het verdroeg dat het huis door anderen werd bewoond. Dat je angst had voor alles wat er door vreemden aan en in veranderd was. En dat Ria uit zijn erfenis niets anders interesseerde dan de opbrengst. En och, als haar zelf zoiets toeviel zou hij er immers precies zo over denken.
Alles was nu gereed. Margriet schonk koffie in en ze zetten zich aan tafel.
Het ziet er hier rijk uit, vond Fred met een snelle blik over het aangeboden voedsel. En dat zou hier ook wel kunnen. Door de verkaveling was Albert opgehouden landbouwer te zijn. Hij had zijn grond en gereedschappen verkocht en was zelf als arbeider op een fabriek gaan werken. Zo had hij nu een behoorlijk bestaan en hield, mede door het geld dat oom Klaas hem naliet, nog flink wat achter de hand. En dan had hij dit huis nog. Ruim, solied en pas gemoderniseerd. Nou, het was hem gegund. Zo prettig had de man het in zijn eerste huwelijk niet gehad met een ongeneeslijk zieke vrouw die na enkele jaren stierf. En nooit had hij daarover geklaagd. Zijn zorg was vol liefde geweest. Toen alles voorbij was en hij alleen met Margriet achterbleef had hij eerst een goede hulp gehouden aan een al bejaarde weduwe die al bij hen in huis was. Een flinke vrouw voor de huishouding en een hartelijke verzorgster voor Margriet. Na een paar jaar werd het haar echter teveel en kreeg ze een woning voor haar alleen. Toen was het oom Klaas die Albert in kennis bracht met Dora Bierhaalder, één van zijn verre nichten. Een keurig, stil, al wat ouder wordend meisje. En dat was goed geweest. Voor haar, voor hem en voor Margriet. Alleen . . . was Albert niet wat te oud voor de twee kleine rakkers die nu boven sliepen? Hij was bij zijn eerste huwelijk ook al niet zo jong meer geweest.
En Margriet? Hoe oud zou die zijn? Zonet, in de keuken, kon hij haar eventjes goed bekijken. Hij schatte haar op omstreeks twintig jaar. Misschien nog iets meer. En ze droeg geen ring, zag hij nu. Nou . . . veel charme bezat ze ook niet. Het was een doodgewoon meisje van dertien in een dozijn. Hij had er vroeger meestal mooiere gehad. Tot Ria kwam. Maar die was dan ook zeldzaam charmant. Die bezat alles wat een man maar wensen kon.

Deze gedachte bracht een glimlach om zijn mond. Zij zou zich hier ook vast thuisvoelen. En als ze eerst maar eenmaal in zijn huis was geweest zou ze daar geen ander meer voor willen.
Dora vroeg nu naar zijn kosthuis. Hij vertelde daar iets van. Daarna wou Albert het één en ander over Ria's familie weten en ook die lichtte hij in, waarna hijzelf het gesprek op zijn werk bracht.
En intussen at hij veel meer dan hij ooit deed en dronk met smaak zijn derde kopje koffie.
„Dus jij blijft daar wel werken?" vroeg Albert nu.
„Ja, ik blijf in Amsterdam," zei Fred beslist.
„En dan ga je het huis zeker wel verkopen?" bedacht Margriet met een felle blik naar zijn gezicht terwijl haar wangen kleurden.
„Als dat zo is dan ken je daar op heden een beste prijs voor krijge. De huize benne nog steeds krap en duur. Dit staat in het hartje van het dorp en het ziet er aantrekkelijk uit," ging Albert hier op in.
„Je kenne het ook voor een weekend-huis houwe," vond Dora. „Dat wordt tegenwoordig ook oftig daan."
„Dat zal niet gaan," wist Fred heel zeker. „Dat zou ons op den duur te kostbaar worden. Het liefste wil ik het zelf gaan bewonen. Maar daar moet mijn meisje over beslissen."
„Wel, als dat doorgaat, en je wil met je auto naar Amsterdam heen en weer, dan weet ik zo al een paar manne die vast graag met je meerije wille," schoot Albert in gedachten. „Die werke daar ook en zoeke zuk soort vervoer. Dan haal jij je onkoste er een heel end heen uit, as jullie het over de vervoersprijs rooie kenne."
„Dat is wel wat," gaf Fred toe. „Enfin, we zullen zien hoe het loopt. Maar nu ga ik weg hoor. Ik zit hier wel mooi, maar ik hoor hier niet," herhaalde hij een gezegde van oom Klaas.
„Welnee man, blijf nog effies," drong Albert. „Je hewwe daar geen hen uit de butter te jagen en we zitte hier nog gezellig. Kom mee in de luie stoele en neem een sigaret."
„Nou, vooruit dan."
Behagelijk schikte Fred zich tegenover hem in een der fauteuils voor de haard, terwijl Dora en Margriet de tafel afruimden en naar de keuken gingen om de afwas te doen.
Nu vroeg Fred naar het werk dat Albert deed en dat interes-

seerde hem zo dat hij de tijd vergat. In zijn eigen woorden kon Albert beeldend vertellen. Je zag hem dan in zijn dagelijkse doen en laten.
De vrouwen kwamen terug met voor ieder een glas vruchtensap en zetten zich op de bank. En toen vroeg Dora opeens:
„Zeg Fred, weet jij in hoever wij eigenlijk nog familie van mekaar benne?"
„Welnee. Ik weet nergens van en ik ken bijna niemand."
„Ik vast wel meer. Maar hoe wij bij mekaar kome moete daar heb ik geen begrip van. Maar ik weet van mijn moeder dat hiernaast, in die boerderij, vroeger een Frederik Mantel woond heb die nog familie van ons weest is. Als ik het goed heb was het haar grootvader. Maar ze praatte nooit over hem."
„Dat is toch de man van die ouwe foto?" vroeg Margriet nu. „U weet wel, uit dat album."
„Ik meen van wel," zei Dora. „Maar dat kenne we gauw genoeg uitzoeke."
„Hoe dan?" twijfelde Albert.
„Nou, we hewwe toch dat fotoboek van oom Klaas en tante Zwaantje. Daar staan een stuk of wat familieportrette in met name en datums eronder. Allicht worre we daar wat wijzer van. Haal jij dat ding r's effies, Margriet. Maar stil doen 'oor. Maak de jôôns niet wakker."
Margriet ging en kwam heel snel terug met een ouderwets portretalbum. Ze reikte het aan Dora die het meteen opendeed en zoekend een paar bladen omkeerde.
„Hier is ie," zei ze dan. „En jawel 'oor. Er staat naam en datum bij. Lees maar. En maak jij dan effies meer licht, Albert?"
Terwijl die opstond en het licht in de grote middenlamp ontstak schoof zij het boek op de knieën van Fred. En die keek neer op een streng gezicht met lichte ogen en een smalle, rechte neus. Om de mond lag de verbeten trek van een wrevelig mens. Het steile haar lag in een diepe golf over het hoge voorhoofd.
„Die man ziet er niet bepaald vriendelijk uit," vond hij.
„Zo lijkt het mijn ook toe," was Dora het daarmee eens. „Maar dat kan wel van de zenuwe kome ook. Vroeger was fotograferen een langdurig en spannend werk."
Nu bezag Fred de foto naast die van Frederik Mantel. Een vrouwengezicht met dicht samengeknepen lippen en een wat

kinderlijk rond gezicht. Op haar voorhoofd lag de voornaald die bij de kap behoorde welke zij droeg. Van haar haren was niets meer te zien dan twee streng gescheiden vleugjes boven die voornaald, waarin duidelijk de vorm van een edelsteen was te zien.

„Dan moet dit de vader van oom Klaas geweest zijn," bedacht Fred nu. „Die heeft mij er wel eens wat over verteld dat hij in die hoeve was opgegroeid. Maar verder, hij praatte er nooit over door."

„Tegen ons ook niet," zei Dora. „Wel over later. Over zijn werk en zo. Maar nooit over zijn thuis."

Fred ontcijferde nu wat onder de foto's geschreven was.

„Frederik Mantel 8 sept. 1892," las hij luid op en dan: „Hiltje Boon 8 sept. 1892. Dat was dus de dag van deze grote gebeurtenis," vermoedde hij.

„Maar als die kerel toe de hele plaats hiernaast bezat, waar is dan al zijn geld bleven?" vroeg Albert zich af. „Bij de paar mense uit Dora's familie waar wij mee omgaan is geen cent te halen. Enkel oom Klaas bezat nog wat, maar dat kwam grotendeels van tantes kant."

Het gesprek kabbelde nog wat door tot Fred opstond en afscheid nam. Albert liep met hem mee naar de voordeur, voorspelde een mooie zondag en wenste hem goeie reis.

Het was nu geheel donker. De wind was afgezwakt tot een lichte bries die om de huizen speelde. Onder het langsgaan bezag Fred nog even de omvang van de boerderij in zover die zichtbaar was. Hij keek ook nog even in de richting van zijn huis. Over acht dagen moest en zou Ria dit ook zien. En als dat lukken wou moest hij haar alle prettige mogelijkheden bijbrengen die het hun kon bieden. Voor hem waren dat er vele. Als zij die dan ook maar zag. Dus morgen gingen ze uit met Geert en Luus. Het werd vast een gezellige dag. Vooral als het weer zo goed werd als Albert dacht. Wat enig toch dat Margriet zo'n opgewekte familie bezat. Daar was nooit ruzie of onenigheid. Alles werd met een lach en een kwinkslag afgedaan.

Hij reed weg. De autolampen spreidden een baan van licht voor hem uit. Het was tamelijk rustig op de wegen en dat gaf Fred de kans om nog even terug te denken aan de beide foto's die hij daar even zag.

Hoe leefden die Frederik Mantel en Hiltje Boon? Hoe was hun gezin? Hoe zag het dorp er toen uit? En de buurt waarin ze woonden?
Ja . . . hoe?

Vierde hoofdstuk

Dit hoefden Frederik Mantel en zijn tijdgenoten zich niet af te vragen. Zij hielden hun vergaderingen en avondvisites bij voorkeur op de avonden met lichte maan, omdat de petroleumverlichting van de straatlantaarns slechts een beperkte zichtkring gaf. En de weg in het dorp was in de late herfst en in de wintermaanden nogal moeilijk begaanbaar door het dan pas uitgestrooide bazaltslag aan weerszijden van het in het midden van de weg liggende klinkerstraatje, dat als looppad voor de paarden diende. Wel was er aan één kant, dicht tegen hekken en huizen, ook een voetstraatje voor de mensen, doch dat lag beurtelings links en rechts van de weg en het was in het donker wel eens moeilijk om die oversteek te zien of de juiste breedte van het smalle paadje te gissen en dan stapte men in de modder ernaast. Wel werd dit straatje zelf altijd keurig schoon gehouden. Het was door verschillend gekleurde stenen in perken verdeeld, waarvan de bewoners van ieder huis er één kregen toegewezen om het wekelijks te schrobben en te spoelen. Deze plicht gold van oktober tot mei en gaf op zaterdag een gezellige drukte, want niemand onttrok zich aan die taak. Zo kwamen de vele kerkgangers op zondag met schoon schoeisel uit en thuis.
Het was in die tijd dat op een zondagavond omstreeks halfacht een jongeman met paard en kar bij het café „De vergulde baars" aankwam, daar het beest op stal liet zetten en zelf naar de gelagkamer ging, waar al een groep jongelui aanwezig was. Hij schoof bij aan de ronde tafel waar hij een paar kennissen zag en bestelde brandewijn met suiker. Dan praatten ze wat met elkaar. Vier boerenzoons die uit vrijen gingen. Het mindere volk, de knechten en middenstanders, groepte aan de andere kant van het vertrek bij elkaar, keek naar het biljarten van twee gelijkwaardige partners en gaf commentaar op hun spel.
„Waar gaan jij vanavond op an?" vroeg na een poosje één van de drie boerenzoons aan de nieuwkomer, hoewel hij dit wel vermoeden kon. Ze hadden allang ontdekt dat Jan Bierhaalder

stapelgek was op Jansje Mantel, de oudste dochter van Frederik. Maar of ze hem ook wou, dat was de vraag. Jansje leek wel weinig om jongens te geven. Ze ging wel met ze uit op kermissen en naar bruiloften maar gaf weinig gelegenheid om daarna nog een uurtje op te zitten en te vrijen. Dan had ze meestal wel een smoesje klaar voor een afscheid bij de deur. Toen Jan dan ook haar naam genoemd had zei de jongen die naast hem zat waarschuwend: „Wees dan maar voorzichtig, man. Toe ik verleden jaar op kattekermis met 'r uit was, toe wou ze mijn aan de klink van de deur ophange. Ze stond daar maar bij die koegangdeuren, hield mijn een beetje aan de praat met een verhaaltje dat ze loof en slaperig was en dadelijk in bed wou en dat ik dus maar beter naar huis gaan kon, het was al zo laat . . . Maar ik liet me niet afschepe 'oor. Zin of geen zin, ik wou nog een tijdje met 'r opzitte en dat heb ik daan ook. Ik zei . . . ,hoor 's effies zus, dat ken je een aar misschien lappe, maar mijn niet 'oor. Lang of kort, maar ik gaan met je mee naar huis'."
„En hoe was het?" vroeg een ander hem nu.
„Kort 'oor. Erg kort," bekende hij eerlijk. „Toch waag ik nog wel r's een kansje bij haar."
Toen zijn glaasje leeg was bestelde Jan nog een borrel, kocht een dubbeltje sigaren – goeie van vierduiten per stuk – en stapte op naar de hoge boerderij waar hij al wekenlang tussen zijn werk door van droomde.
Als hij nou maar blijven mocht . . . als er nou vanavond maar geen andere vrijer voor haar kwam . . .
Hij had al meer dan eens met Jansje gedanst. Het was zo'n lief mollig meisje met een zacht vriendelijk gezichtje, heel donkerblond haar en lichtblauwe ogen. Hij was dadelijk verliefd op haar geworden en hij was het nog.
En nu, op de zondag voor Pinksteren, waagde hij eindelijk zijn kans. Als het dan hier in het dorp de volgende week kermis was, dan zat het met hem goed, dan kon geen ander hem te gauw wezen. Piet Roemer kletste maar wat over dat ophangen aan de klink van de deur. Een flinke vrijer liet zijn eigen niet zomaar wegsturen.
Juist wilde hij het straatje naar de deur van de koegang opgaan toen hij van de andere kant af gezelschap kreeg.
„Moet jij hier ook weze?" vroeg hij scherp.

„Jazeker. Maar ik ben geen concurrent van je 'oor," zei de jongeman. „Ik heb verkering met Teuntje Vlam. Die dient hier."
Oh, de vrijer van de meid. Jan herademde.
Samen gingen ze naar binnen. De ander, een gemoedelijke boerenknecht, wist hier de weg. Eerst over de koegang en dan naar het zomerverblijf. Daar ging het net als Jan overal gewend was. Een begroeting, een praatje en een kopje koffie. Hij keek eens naar vader Frederik. Het leek hem een al wat oudere, stugge man, maar wat zijn bezit betrof moest hij zo ongeveer gelijkwaardig zijn aan zijn eigen vader.
Alleen . . . hij, Jan, was enig kind en hier waren er maar liefst vier. Een zoon was rijk getrouwd en zat nu op een mooie plaats in de Beemster. Dan volgde zijn Jansje, vertederd speurde hij even naar haar blozend gezicht; en verder een jonger zusje dat nog schoolging en de baby die hier in de schommelwieg lag. Het leeftijdsverschil tussen het oudste en het jongste kind was wel erg groot.
Frederik vroeg naar zijn ouders die hij allebei goed bleek te kennen. Teuntjes vrijer vertelde iets over een zieke koe, de vrouwen knutselden aan een handwerkje, er kwam een geluidje uit de wieg en Jan dronk zijn koffie en rookte een sigaar.
De klok wees tien voor negen. Toen hief Jansje haar hoofd op en slikte even. Jan zag een vleugje wit van haar tanden tussen de mooi gevormde lippen. En toen zei ze zachtjes:
„Als je van plan benne om bij mijn te komen, dan ken je je gang wel weer gaan."
Het geijkte gezegde voor een blauwtje.
Een ijzig gevoel van teleurstelling, schaamte en vernedering sloeg door hem heen. Dit had hij toch werkelijk niet verwacht. Hij, Jan Bierhaalder, een nogal knappe jongen die krijgen kon wie hij wou. Zoiets was hem nog nooit overkomen. Even vloog zijn blik nog door het werkelijk aardig ingerichte vertrekje, dat van de twee voorste koestallen was gemaakt. Veel en veel leuker dan bij hem thuis.
En dan blikte hij in Jansjes ogen, in dat zachte vergeet-mij-nietjes-blauw waar hij dagelijks van droomde. Hoe kon ze hem dit aandoen. Onder het dansen had ze toen toch lief naar hem gelachen en leuk met hem gepraat. En nu dit . . .

Boos smeet hij zijn sigaar in het kwispedoor, zette zijn pet op, wenste goeienavond en vertrok.
Na een blik op de klok stond nu ook de meid op om de laatste avondbezigheden af te doen, terwijl Jansje en haar moeder de wieg opnamen en die in de enkel 's winters dagelijks bewoonde huiskamer dicht voor de ouderlijke bedstee op een schamel zetten, vanwaar de baby, als hij huilde, gewiegd kon worden.
„Ik had 'm houwen kind," berispte Hiltje nu haar dochter. „Dit was geen vrijer die je zomaar wegsture kenne. Je vader zal hier erg boos over weze."
„Oh, dat zal wel weer," zei Jansje berustend. „Maar als ik Jan vanavond houwen had, dan moest ik allebei kermisdage met 'm uitgaan en daar heb ik geen zin in."
„Kom, kom, je benne niet dadelijk an 'm trouwd . . ."
„Gelukkig niet. En dat zal nooit gebeure ok."
Hiltje zweeg er verder maar over, al speet het haar dat het kind deze kans vergooide. Cor, hun oudste, had het wijzer bekeken. Die was na een tip van zijn vader over een halve wees in de Beemster dadelijk naar haar uit vrijen gegaan en boerde nu op haar vaders plaats. En het was nog een heel goed huwelijk geworden ook.
Helaas was Jansje niet zo volgzaam als Cor.
Weer terug in het zomerverblijf zei die in het algemeen vluchtig goedenacht en repte zich naar haar bedstee in de voorkamer. Wat vader haar te zeggen had, dat hoorde ze morgenochtend wel als ze met hem alleen was. Nu zaten Teuntje en haar vrijer hem in de weg.
Ze droomde die nacht heerlijk en ontwaakte pas toen haar moeder in de vroege morgen op het houten schot tikte dat hun beider bedsteden scheidde. En meteen wist ze dat het wasdag was en dat er deze morgen hard aangepakt moest worden. En dus schoot ze snel uit haar nachtjakje en deed haar kousen aan. Dan maakte ze de tussenrok over haar onderrok vast, bond de dijzak om waarin ze haar zakdoek en nog enkele kleinigheden bewaarde en trok haar daagse jurk aan. Vol en stevig staken de blote armen uit de korte mouwen en dapper kwamen bij elke stap haar zwartwollen kousen onder de voetvrije rok uit. Jansje kon het werk weer aan. Beter dan Teuntje, die even later, toen Jansje de ontbijttafel klaar had, geeuwend van het melken terugkwam.

„Heb Nanne het dit keer zolang maakt?" plaagde Jansje.
„Niks daarvan," zei Teuntje. „Als je meer dan drie jaar verkering hewwe is het nuuwtje van het vrijen er al lang af. Ik ben tenminste blijd dat we ankomende voorjaar trouwe kenne. Dan hewwe we wel genoeg spaard om wat huisraad te kopen."
„Dus met Kerstmis rake we jou kwijt?" vroeg Jansje spijtig.
„Vermoedelijk wel. Het hangt er van af of Nanne een stee als boerenwerkman krijge ken. We moete toch ok nog een huis hewwe eer we trouwe. Hij heb ok wel wat op het oog. Zijn oom Hein werkt bij een beste baas in Berkhout, maar die boer heb al d'rs zeid dat ie binnenkort verandere wil, want dat Hein 'm te oud wordt. Hij heb graag een jongere werkman. Als Nanne dat nou worre ken, dan hewwe we meteen een huis. En nog een mooi huis ok."
„En wat moet die oom Hein dan?" wou Jansje nu weten. „Als zijn baas 'm niet meer wil omdat ie te oud is, dan zal een are boer hem ok niet neme."
„Och, zulke ouwe mense hewwe weinig meer nodig," meende Teuntje. „Met wat los werk hier en daar en in een goedkoop klein huissie, dan redde ze het nog wel een tijdje. En as tante dan wat uit bakeren gaat . . . En lukt het niet, nou ja, dan is het armehuis er ok nog èè."
Ze stelde dit rustig vast. Zo hoorde het immers. Zo was het leven nu eenmaal. Iedereen kon niet van zijn rente leven.
Nu kwamen ook Frederik en de arbeider het kamertje in, tegelijk met Hiltje die de baby verzorgd had en ook Johanna, gekleed en gereed om naar school te gaan; allen zetten zich aan de tafel waar Jansje de kopjes reeds had volgeschonken. Voor ieders plaats stond een bordje met drie stevige boterhammen. Want al was Frederik overigens hevig op de penning, tegen deze royale gewoonte van zijn vrouw kon hij niet op.
„Wie goed werkt moet goed ete. Dat is mijn thuis altijd leerd," had ze hem in de eerste week van hun huwelijk al toegesnauwd. „En ik wil alleen volk dat van anpakke weet. Wie dat niet doet, die stuur je de laan maar uit."
Frederik had haar verbouwereerd aangekeken. Dat dit anders zo volgzame Hiltje zo opstuiven kon. Hij moest zich voortaan maar niet meer met haar zaken bemoeien. Maar ja, hij was thuis zo'n overdadigheid niet gewend. Zijn moeder deelde wel

dikke pillen brood uit maar was uiterst zuinig met boter en kaas, terwijl het bij Hiltje net andersom ging, al leek hem het brood ook ruim voldoende. Gretig beet hij in zijn eerste.
Zo'n ochtend op je nuchtere maag was ook aardig lang. Eerst naar het land om te melken, dan weer terug en zorgen dat de pas gewonnen melk keurig gezeefd in de kaastobbe kwam. Daarna stremsel en kleursel afmeten om dat er doorheen te doen. Ja, dan begon je maag tenslotte te knagen. En dat zou bij Teuntje en de knecht ook wel zo wezen. Zij aten tenminste even smakelijk als Johanna en hij. Zijn vrouw niet, maar die kieskauwde altijd een beetje. Hiltje had nooit veel trek. En dat terwijl zij toch eerst al de melk die in de grote schalen op de lege koestallen stond, had afgeroomd en daarna hun kleine Klaasje verzorgd. Maar dat Jansje zo smakelijk eten kon... Onbegrijpelijk. Ze moest toch wel begrijpen dat hij een goeie schrobbering voor haar klaar had. Maar ze keek even olijk en glunderend het vertrekje rond als altijd. Je zou zo'n rakker van een meid...
Maar het moest gezegd worden. Zo'n kind wist nog niet wat goed voor haar was. Daar dienden de ouwelui voor te zorgen. En dat zou hij doen.
Zijn wil moest ook voor haar een wet zijn.
Maar Jansje kende zijn gedachten. Zodra het ontbijt afgelopen was moest haar vader eerst naar de stenen schuur naast het huis om daar de nu gestremde melk met de doorhaalder tot korrelige wrongel te maken en was die dus van de vloer. In die tijd moest zij de afwas doen, de bedden opmaken en verder moeder nog even helpen met het huiswerk. Was dat gebeurd, dan kon ze in de schuur aan de kaasbereiding beginnen. Dan was Teuntje er bezig met de was, dus moest vader ook dáár zijn mond wel houden. En verder... och, dat zou ze dàn wel weer zien. De werkman moest vanochtend het land in om een dam te repareren en allicht ging vader met hem mee om tegelijk even naar de schapen te kijken. Dat stelde zijn terechtwijzing aan haar ook weer een poosje uit en bijdat was zijn boosheid wel wat afgezakt.
Zo dàcht Jansje. En het liep aanvankelijk ook precies zoals zij het wenste. En dus verliet ze na een uurtje opgewekt de koegang en snoof buiten even de zoete lentegeuren op die in het

lichte windje op haar toekwamen. Even keek ze omhoog in het onpeilbare blauw en deed dan de paar passen die de deur der hoeve van de schuur scheidden en ging daar binnen. Ze vond er haar vader bezig de wrong in de kuip in blokken te verdelen.
„Zo, ben je daar," zei hij zonder op te zien. „Nou, je kenne aan de slag."
Even keek hij nog toe hoe haar rappe, kleine handen de brokken uit de kuip grepen, er op een tafeltje de wei uit persten en ze tegelijk tot ronde bollen vormden waarna die – keurig in een doek gewonden – in de daarvoor bestemde koppen werden gedrukt. Zelf deed hij daar toen de deksels op en zette ze in de kaaspers die opzij tegen de wand stond. Een heel mooie pers. Kleurig beschilderd met bovenaan de voorletters der namen van zijn grootouders. Toen dat gebeurd was keek hij snel even langs het karnrad heen naar Teuntje die daar druk bezig was met wassen en wringen.
Nee, hij kon nu nog niks zeggen en straks onder het koffiedrinken evenmin, maar gebeuren moest het, al zou hij er de hele ochtend voor thuisblijven.
Frederik kreeg zijn kans toen Jansje de witte was op het bleekveld uitspreidde. Precies zoals haar moeder het haar had geleerd. Hoe lastig de vormen van het lijfgoed dit soms ook maakten, alles te zamen moest het geheel de vorm van een vierkant of een rechthoek hebben. Zelfs op de bleek golden de strenge wetten van dit huis. Het lukte haar ook ditmaal weer. Tevreden richtte ze zich op en keek nog even naar al het kletsnatte linnen en katoen dat lag te blikkeren in het zonlicht. Tegelijk zag ze echter ook haar vader vanuit de achter het huis staande varkensboet naar haar toekomen. Snel greep ze de lege tobbe om aan hem te ontkomen maar hij sneed haar de pas af. Nu het dan toch zo ver was keek ze hem onbevangen aan.
„Zeg r's jij. Wat gaf dat gisteravond met Jan Bierhaalder?" vroeg Frederik strak.
„Niks, vader," deed Jansje bedeesd.
„En om dat niks gaf jij hem blauw?"
Jansje keek naar de vlierstruiken die de mesthoop enigszins aan het gezicht onttrokken en hoorde hoe een paar mussen in een vruchtboom achter haar druk sjilpend van tak op tak vlogen.
„Ik deed het omdat ik bang was dat die, als het hier de vol-

gende week kermis is, met mijn uit wil. En dat wil ik liever niet."
„Zou dat zo erg weest hewwe. Zo'n jongen als hij en uit zo'n familie? Ik dacht dat wij jou betere maniere leerd hadde. Je weet heel goed . . ."
Frederik hield een hele preek en zijn strenge ogen probeerden die van Jansje te dwingen hem aan te zien. Doch de hare dwaalden telkens weg naar de hoge boerderij vóór haar waar nog zoveel werk wachtte en ze liet de klanken van zijn koele stem langs zich heen gaan. Als vader zo bezig was deed je het beste om hem maar rustig aan te horen. Hoewel . . . wat hij nou zei . . . Want ze schrok hevig van zijn laatste woorden. Zou vader dat echt menen?
„Je mag dan dit keer hier nog te kermis gaan en verder overal waar je vraagt benne en nog vraagt worre, maar as zuk nog r's beurt blijf je voortaan thuis. Jij weet heel goed wie je wel en wie je van ons geen blauw geve mag."
Niet te kermis . . . De twee dagen waar ze al weken naar had verlangd en die haar alle drukte en vermoeidheid van de schoonmaak in een huis als dat van haar ouders met plezier hadden doen verrichten . . . En alle andere kermissen uit de naaste omtrek waarvoor ze nu al te logeren was gevraagd . . . En dat zou vader haar verbieden?
En wat hij zei dat deed hij. Altijd.
„Heb je het begrepen?" besloot Frederik.
Nu keek Jansje hem vol aan. Haar ogen gloeiden hem tegen. „Ja vader," zei ze nors en liep langs hem heen naar de kaasschuur waar Teuntje intussen het bij het kaasmaken gebruikte gereedschap had schoongeboend. Samen maakten ze nu de was aan kant en schrobden daarna de vloer van de schuur brandschoon. Want voor zuivelbereiding kon de naaste omgeving niet schoon genoeg zijn.
Tijdens het werk sprak Jansje nauwelijks een woord. Ook Teuntje zweeg. Hoewel ze vijf jaar ouder was kende ze haar plaats als meid tegenover een dochter van één der rijkste boeren in het dorp, die wethouder was en nog veel meer van die herenbaantjes had. Een man die hier in en bij het huis, behalve het melken van een paar van zijn koeien, vrijwel geen slag uitvoerde, al liet hij dat zijn dochter wèl doen. Maar dat kwam wel omdat Jansje

zo'n slag van kaasmaken had en dat de baas er in Hoorn altijd de hoogste marktprijs mee haalde.
En daar hadden die Bierhaalders ook wel zin in gehad. Gehàd, ja. Want die Jan zou hier geen tweede keer komen. Gelukkig maar. Ze mocht die knul niet. Hij had iets dat haar niet aanstond. En twaalf jaren van dienstbaarheid onder verschillende bazen, bazinnen en hun huisgenoten hadden Teuntje heel wat mensenkennis bijgebracht.
Vandaar dat ze hier op deze boerderij, ondanks de altijd norse houding van Frederik Mantel, zo plezierig diende.
Ja, Jansje had wijs gedaan met die knul weg te sturen. Er waren wel betere vrijers voor haar.

Vijfde hoofdstuk

Moeder Hiltje zag tegen de kermisdagen op. Ze zou blij zijn als die voorbij waren. Al die drukte van gasten en logés terwijl het bedrijf evengoed moest doorgaan. Melken, kazen, romen... zondags of door de week, het moest gebeuren. Voorheen had zij daar altijd deel aan gehad. Samen met Teuntje de meid en haar eigen Jansje ging al het werk, ook dat van de huishouding, vlot door ieders handen. Maar toen waren er enkel nog de drie oudste kinderen. Cor, die toen al verkering had, het handige Jansje en de tegenwoordig wat balsturige Johanna. Ja, toen... Maar wie had verwacht dat zij op haar vijfenveertigste jaar nog zwanger raken zou. En toch was het zo. En van toen af werd het sukkelen met haar en dat was het nog. O ja, ze was erg gek op hun kleine Klaasje, maar zijn komst had haar leven wel moeilijk gemaakt.
Hiltje keek de kamer even rond om te zien of nergens iets op aan te merken was. De oudste zuster van Frederik was zo akelig precies. Gelukkig was de kermis kort na de schoonmaak en dus glom alles je nog tegen in het licht van de klimmende zon.
Het was een mooie, ruime kamer vol warme kleuren. De middenruimte was gevuld met twee aaneengeschoven tafels en daaromheen de stoelen van de verwachte gasten.
Had ze nu niets vergeten? Och nee, dat zou wel niet, anders had Teuntje daar wel iets over gezegd. Teuntje dacht altijd aan alles.
Ze liep even naar het raam en keek tussen de gordijnen door over het erf naar de ernaast gelegen boomgaard met zijn bloesemende bomen. In de grote hoeve was het zo stil dat ze duidelijk kon horen hoe buiten de schone melkemmers op het rek werden gelegd.
„Nou, die magge gelukkig weer bekeke worre," prevelde ze tevreden. „En het are boeregoed ook. Het valt me nog mee dat Freek alles schildere late wou. Maar ik heb er ook erg op anstaan."

In gedachten zag ze weer even de kaastobbe, de karn, het gaarvat en de emmers. Allemaal groen met zwart op de ijzeren banden. Haar schoonzuster mocht het bezien.
En dat mocht ze de baby ook. Klaasje was nog wel een beetje fijn voor een jongen, maar hij had de tijd om te groeien. En dat mocht ook wel, want de dikke, blozende zoon van Cor en zijn vrouw was al een half jaar ouder dan hij. Hoe kon dat kind ooit oom tegen Klaasje zeggen.
Klompengeklepper dicht bij huis waarschuwde haar nu dat de rest van het gezin gereed was om te ontbijten. Een blik op de klok vertelde haar dat ze een half uur vroeger waren dan anders. Dat kwam wel door de hulp van Johanna. Ja, al had die daar tegenwoordig weinig zin in, het werd tijd dat zij in het bedrijf ook een handje hielp. Als Jansje over een paar jaar eens ging trouwen . . . Maar bijdat was zijzelf ook wel weer de oude.
Ze repte zich naar het zomerverblijf waar nu ook de anderen binnenkwamen. Allen blij en tevreden over het vroege uur en het stralende lenteweer.
„Krijg jullie puur wat gaste?" informeerde de arbeider tussen een hap brood en een slok koffie door.
„Acht. En drie logés," zei Hiltje.
De man herhaalde fluisterend het eerste getal.
Acht . . . dat was vier echtparen en dus ook vier paarden om uit en in te spannen. En dat gaf ook vier kwartjes fooi. Glunderend keek hij naar Teuntje, die zelf ook even rekende maar dan met dubbeltjes. Want zeven dubbeltjes was ook nog heel wat geld. Daar bleef je op kermis graag voor thuis met alle drukte die bij zo'n gastdag hoorde. Want na het middaguur hoefde ze op Jansjes hulp niet meer te rekenen. En morgen na de ochtendkoffie ook al niet meer. Dan was het dansen en dansen voor dat jonge volk. Het zou wel weer een vrolijke boel worden met vier jonge meiden in huis. En als ze dan vannacht elk nog met een vrijer thuiskwamen . . . Voor haar zelf en 'r vrijer zou er dan wel weer weinig plaats wezen om samen een uurtje op te zitten.
Het ontbijt verliep snel. En daarna werd het draven en reppen om alles aan kant te krijgen voor de eerste gasten het erf op reden. Frederik was al in zijn beste pak gekleed en had juist toegekeken hoe Jansje de kaas in de pers zette, toen zijn zoon al aankwam.

Dat ken Cor doen, wist hij. Die laat de melk naar een kaasfabriek brenge en heeft thuis dus weinig drukte meer. En zijn vrouw helegaar niet. Hoe of zij de meid, die ze er evengoed nog op nahoudt, de hele dag aan het werk houwe ken, dat is voor mijn een raadsel.
Maar ondanks de lichte afkeuring die in deze gedachte lag opgesloten, bekeek hij toch vol trots het mooi aangeklede vrouwtje dat door zijn wat plomp gebouwde zoon uit de tilbury werd geholpen. En welk een kar was dat. Het mooiste van het mooiste. Met een paard ervoor zoals je ze hier nergens zag lopen. Een edel gevormd gitzwart dier wiens huid glanzend uitkwam tegen het nikkel aan zijn tuigen. Alles aan dit stel zag er even rijk uit. Ja, Cor had wijs gedaan toen hij op een avond op goed geluk in de Beemster uit vrijen ging. Niet dat ze toen helemaal vreemden voor elkaar waren, dat niet, ze waren al eens op eenzelfde bruiloft geweest, maar dat was dan ook alles.
Na de begroeting, terwijl de arbeider het paard uitspande, vroeg de jonge vrouw:
„Is moeder in de kamer?"
Frederik knikte.
„Vermoedelijk wel. Gaan maar kijke. En aars is ze in de voorkamer bezig 'r kap op te zetten."
Doch Hiltje was klaar. Een nog knappe, tengere vrouw in een donkerblauwe japon aan wie het goud en juweel van de sieraden die ze droeg niet misstond. Zij had daar het figuur, het gezicht en de houding voor.
Verrast keek de jonge vrouw om zich heen.
„Wat ziet het er hier weer gezellig uit," prees ze de opstelling van tafels en stoelen terwijl ze achteloos haar hoed, mantel en sjaal aan Teuntje overreikte. „Dat wil bij mijn nooit zo goed lukke. Ik denk dat het door onze kamer komt. Deze is zo lekker diep en heb niet zo'n hoge zolder als die van ons."
Hiltje gaf haar gelijk. Zij vond immers geen enkele boerenplaats mooier en gerieflijker dan de hunne.
„Wil je eerst Klaasie effies zien?" bood ze aan. „Hij groeit toch zo lekker. En hoe is het met jullie Freekie?"
Tot de andere gasten kwamen bleef dit kind het onderwerp van hun gesprek.
Intussen had Jansje ook haar beste jurkje aangetrokken. Het

was van goudbruine zachtwollen stof met een hoog halsboord en een borststuk van beige kant waarlangs repen van geplisseerd zijden lint waren aangebracht. En dit zat ook aan de mouwen, zodat haar handen kleiner leken, haar boezem voller en haar gezicht teer en fijn. Ze droeg haar haren in een vlecht midden op haar hoofd gespeld en licht kuivend daar rondom zodat de natuurlijke golving ervan duidelijk zichtbaar bleef. Het leuke hoedje met de ene opgeslagen rand zou maken dat ze er vanmiddag leuk uitzag. Misschien zelfs wel een beetje mooi. Ze verlangde er al naar om zich dan te laten zien. Aan haar vriendinnen, hun logés en aan iedereen.
Was het alvast maar zover.
Maar eerst kwam nog deze vervelende gastdag waarin ook aan haar diverse taken waren toegeschoven. Eerst al de koffie. O ja, die koffie . . . Gelukkig had Teuntje die al opgegoten. Ze hoefde de kraantjespot met het keurig opgepoetste brandertje enkel maar binnen te brengen en dan straks de kopjes vol te schenken. Daarna kwamen de borrelglaasjes op tafel en kon ieder een drankje kiezen. En dan het eten voor die hele schaar. Gelukkig waren dat Teuntjes zorgen. Aardappels, groenten, vlees en pudding met bessensap. En daar mocht niets aan mankeren.
Dralend bekeek ze zichzelf nog even in de grote spiegel aan de deur van haar moeders kast toen Johanna binnenkwam.
„Gossie Jans, wat zien jij er mooi uit," riep ze spontaan. „En dan moet je mijn daar d'rs bij bekijke."
„Och ja . . . maar jij benne ook nog in de groei," vergoelijkte Jansje het onbevallige figuurtje in haar gestreepte, op de groei gemaakte jurk.
„En dan dat haar . . ." Onverschillig wierp Johanna een paar blonde slierten over haar schouders en keek in de spiegel of het zo beter stond.
Johanna was niet knap, viel Jansje nu op en ze zou het nooit worden ook. Daarvoor was haar gezicht te lang van vorm, haar tanden te onregelmatig en haar neus te dik. Maar het zonnige dat over dit alles lag, verdoezelde die gebreken. Nu was ze nog vaak opstandig, maar dat was zijzelf op die leeftijd immers ook geweest.
„Luister . . ." waarschuwde Johanna nu. „Daar komt de familie

het pad op." Snel liep ze naar een zijraam. „Jawel 'oor. Oom Willem en tante Betje en oom Dirk en tante Dora. Er kome er nog meer. Kijk daar 's. Jouw logés. En hulle vader brengt ze met paard en kar. Dat hoeft mijn vader nooit te doen 'oor. Over drie jaar gaan ik op een fiets te kermis."
„Een meidje op een fiets . . . !" riep Jansje vol afschuw. „Als je nou een jongen was . . ."
„En toch doen ik het," zei Johanna zelfverzekerd. „Ik krijg vader wel zo ver dat ie er een voor mijn koopt. Maar hoe is het? Moet jij niet naar de kamer te koffietappen? Ik mag daar vandaag zo min mogelijk kome. Ik mag feitelijk niks. Wat een leeftijd is dit, zeg. Te oud om te spelen en te jong om te vrijen. Hoe is het? Heb jij al een jongen op het oog?"
„Gelukkig niet," zei Jansje terwijl ze het vertrek verliet. „Stel je d'rs voor dat hij mijn dan niet vraagt."
„Hindert niet," deed Johanna wijs. „Moeder zeit immers altijd dat je toch nooit met je eerste liefde trouwe gaat."
Aan deze woorden dacht Jansje terug toen ze, na iedereen van koffie en koek te hebben voorzien, aan een hoek van de tafel zat en vandaar haar moeder recht in het gezicht kon zien, terwijl het zonlicht haar dit duidelijk toonde.
Zou moeder uit ervaring spreken over die eerste liefde? Wie kon dat zijn en waar was hij nou? Het had haar de laatste tijd dikwijls verbaasd hoe zo'n beslist aardig meisje als zij geweest was een man als vader kon trouwen. Hij was niet knap, eerder andersom. En dan was ie vaak nog ongemakkelijk bovendien. Daar was al meermalen zijn personeel om weggegaan. Hij was soms zo zuinig dat het bijna gierig leek en ook dikwijls nors en kortaf. Teuntje en de tegenwoordige werkman snauwden dan terug en dat hielp meestal. Zijzelf zweeg altijd maar als hij zo was en ze ging evengoed haar eigen gang, terwijl Johanna er zich helemaal niets van aantrok. Die rakker praatte blij terug. Hoe zij dat durfde . . . Alleen moeder had het er moeilijk mee en moest zijn buien ook het meest verduren. Maar soms . . . een heel enkele keer . . . beet ze bits van zich af en dan was vader zó de kamer uit.
Nu zat moeder stil te luisteren naar een verhaal van tante Betje over een van haar broers, waar moeder een paar keer mee naar een bruiloft was geweest. Een feest waar ze hem zelf voor

had gevraagd. Moest die jongen zelf naar een feest, dan vroeg hij een ander. Een kattig wijf, waar hij later mee getrouwd was en nu nog dagelijks mee kibbelde. Was hij moeders eerste liefde geweest? Ze keek nu zo dromerig naar buiten alsof daar wonder wat te zien was. Herinneringen misschien?
Zo, tante was uitverteld en nu deed moeder weer gewoon en haar halfgeopende lippen klemden zich weer even dicht als altijd.
„Zeg, weet jij of Hein Kapers verkering met Antje Zilver nog aan is?" vroeg nu de logee die naast haar zat heel zachtjes.
Jansje dacht even na. Ook een vergeefse liefde?, vroeg ze zich af. „Nee, het is uit," kon ze gelukkig zeggen. „Het mocht niet van 'r moeder."
„En maakte ze het daarom uit?"
„Blijkbaar wel."
„Dan gaf ze niet veel om Hein," vond het meisje.
„Wie weet, misschien is ie er vanavond en vraagt ie jou weer," zei een andere logee.
Het meisje werd nu opeens vuurrood in haar gezicht tot stil vermaak van de anderen die zachtjes giechelden, wat Frederik hun meteen verbood.
„Als jullie je fatsoen niet houwe kenne gaan je naar buiten," snauwde hij hen toe.
„Dat doen we dan maar éé," stelde Jansje voor.
„Niks daarvan," riep Hiltje nu. „Eerst moet de koffieboel van tafel en het glaswerk erop. Teuntje ken niet alles doen. Mijn man vergeet zeker weer dat ie zelf ok jong weest is."
Na deze woorden viel er even een pijnlijke stilte in de kamer. Allen wachtten op Frederiks commentaar. Wel trok die zijn ogen klein en beet zich hevig op de smalle lippen, doch hij zweeg, tot stil genoegen van Cor die nog heel goed wist wat dit hem kostte. Moeder die tegen hem in ging terwijl de hele familie aan tafel zat . . . Als ze dit later maar niet bezuren moest.
De dag verliep verder even plezierig als alle vorige gastdagen. Na de thee, terwijl de arbeider, diens vrouw en een oude buurman de koeien molken, ging de hele schaar naar de kermis. Ze keken daar rond, spraken alle mogelijke kennissen en vrienden, kochten wat bij de kramen, lieten zich wegen en wedden intussen wie de zwaarste zou zijn. Terwijl de vrouwen een poosje

in de danszaal keken, gingen de mannen naar de kolfbaan om daar het spel te bezien.
Thuis verzorgde Teuntje intussen alles wat daar en voor het bedrijf verzorgd moest worden. Het theeservies moest afgewassen, de broodtafel gedekt, de melk in de roomschalen gegoten en de rest te koelen gezet om morgen gelijk met de ochtendmelk gestremd te worden. En ze verwenste een kermis waar zij geen tijd en geen geld voor had. Gelukkig gaf haar vrijer er weinig om. Nu kon hij haar vanavond mooi even helpen met opruimen als de gasten weg waren. En dan een nachtzoen en naar bed. Want morgen was het voor hen allebei weer vroeg dag en kwamen hier andere gasten.
Maar ze verdienden goed. Allebei. Hij had drie gulden boven kost en inwoning en zij een rijksdaalder. En dan af en toe nog een beetje fooi. Ja, ze konden het volgend voorjaar keurig trouwen. Allebei in het nieuw en hun huisraad ook. Met zo'n driehonderd gespaarde guldens kon je ook zelfs nog een knappe bruiloft betalen.
Jansje en de logés gingen hun eigen gang. Ze dachten enkel aan dansen en raakten daardoor 's avonds al gauw uit elkaar. Het zaaltje was overvol zodat je slechts met moeite een plekje kon vinden om tussen twee deuntjes door even te zitten.
Ze werd dikwijls gevraagd en ze kende die jongens allemaal. Het waren dezelfde van altijd. Maar toen kwam er opeens een vreemde naar haar toe om een dans en ze aarzelde. Wie was hij? Zij, de dochter van de rijke Frederik Mantel, danste zo maar niet met iedereen. Hoewel . . . hij zag er keurig uit en droeg een gouden horlogeketting. En knap dat ie was . . .
Ze stond op en ze kwam niet in zijn armen, nee, ze gleed erin, zo soepel was het gebaar waarmee hij haar losjes omvatte. En hij danste . . . het was als een droom. Telkens zocht haar blik zijn ogen, die dan recht in de hare keken, en de zachtjes bewegende lippen als hij met de muziek meezong. Hij vroeg haar nog eens. Zo haastig dat er geen ander aan te pas kon komen. Daarna zag ze hem een poosje niet en toen stond hij weer opnieuw voor haar. Doch nu werd er niet gezongen. Er lag eerder een zekere spanning in zijn gezicht. En Jansje wachtte op een bekende vraag. Ze rook aan zijn adem dat hij zich daarvoor al een beetje moed had ingedronken.

Het hele deuntje van vijf verschillende dansen en wijsjes was al bijna afgelopen toen die kwam.
„Wil je vanavond met me uit?"
Heel haar wezen stemde er in toe. Alleen haar mond niet. Nòg niet. Want wie was hij, deze jongen, en waar kwam hij vandaan? Wat toch jammer dat er geen van haar kennissen of logés in de buurt was geweest die dit weten kon.
Maar wat deed het er ook toe. Zo'n knappe vent als deze kon je gewoon niet weigeren. En dus deed ze onverschillig:
„Ja, dat is wel goed."
Maar in haarzelf bruiste een juichend gevoel dat haar deed ontdekken . . . ik ben verliefd. Zomaar opeens op een knul die ik nog nooit eerder zag en na vandaag allicht ook nooit meer zien zal.
Maar wie was hij? Dat kon je hem zo onder het dansen door toch moeilijk vragen.
Het was één van Jansjes vriendinnen die haar ongevraagd inlichtte door te zeggen:
„Hè, zeg . . . ben jij met Lieuwe Bootsman uit? Ik zag 'm nadat jij binnenkwam al geregeld naar je kijken en ik dacht . . . dat wordt wel wat."
Nou, als Toos dat al dacht, dan past ie wel een beetje bij me, hoopte Jansje.
„Ken jij 'm dan?" vroeg ze snel.
„Nou kenne . . . kenne . . . ik heb hem een paar keer zien als ik bij mijn oom en tante in Wognum te warskip ben. Met kermis èè, of als er een uitvoering is. Dan is Lieuwe er veelal ook."
„Woont ie daar dan in de buurt?"
„Zijn ouwelui. Die hewwe daar een boerebedrijf. Niet groot 'oor. En ze hewwe meer kindere als geld. Maar Lieuwe heb geluk had. Die is zo'n beetje thuishaald bij een oom en tante daar in de buurt die een drukke herberg hewwe. Je kenne die zaak misschien wel. Hij heet ‚De Kroon'."
„Nooit van hoord," moest Jansje bekennen. „Ik kom die kant nooit uit."
„Dat doet er ook niet toe," ging Toos verder. „Maar nou spreekt het zo goed als vanzelf dat Lieuwe naderhand in die zaak komt, want die oom en tante benne al oud en ze hewwe zelf geen kindere."

Zo, nou weet ik alles van voor tot achter, dacht Jansje tevreden. En ik hoef hem niks te vragen wat ie me zelf niet zeidt.
En Lieuwe zei niet veel. Maar in de paar uurtjes die ze in het voorste gedeelte van de koegang opzaten toonde hij zich een werkelijk boeiende man en zijn nogal zachte stem prevelde haar woordjes toe die ze nog van geen andere vrijer had gehoord. Ze vergat zelfs dat aan het andere eind van de lange gang nog een ander stel zat te vrijen en voelde ook niets van het ongemak dat het zitten op een keukenstoel haar anders aandeed.
„Hoe ben je hier komen?" vroeg ze voor hij vertrok.
„Met paard en wagen," zei hij. „Mijn vader en moeder ware hier vandaag te gast."
„Bij wie?"
„Bij Arie Edam. En daar mocht één van mijn zusters meteen een nacht te warskip blijve. En omdat ik zomaar effies meekwam voor een ritje vroege ze mijn ook om te blijven. Woensdagochtend haalt vader ons weer op."
„Dus je benne hier morgen ook nog?"
„O ja. De hele dag en nog een paar uurtjes. Mag ik die hier dan ook weer uitzitte?"
„Dat moet maar èè," stemde ze zachtjes toe terwijl een gevoel van dankbaarheid haar blij en licht maakte over het geluk van nog een dag en avond met hem.
Maar het speet haar wel dat Arie Edam een klein huurboertje was die met moeite aan de kost kwam.
Haar ouders gingen naar heel andere familie en kennissen te gast.

Zesde hoofdstuk

De volgende morgen mocht Jansje net als hun logés uitslapen om weer fris de nieuwe kermisdag te beginnen. En dat laatste deed ze. Ze leefde als in een roes. Ze lachte en praatte met de drie andere meisjes mee, doch door haar gedachten speelde alles wat Lieuwe Bootsman had gezegd en gedaan.
„Wat voor gespuis zat er vannacht in mijn huis?" rijmde Frederik, toen de meisjes nog haastig een kop koffie dronken eer ze opnieuw naar de danszaal gingen.
Wel, wel, wat is mijn vader jolig, dacht Jansje wrang. Hopelijk blijft dat ook zo als ie hoort wie mijn vrijer was.
Lachend noemden de logés de namen van hun kermisvrijers op.
Frederik knikte. Hij kende hun ouders en hun overgrootouders. Het was goed.
„En jij?" vroeg hij dan aan Jansje. „Heb je iedereen weer bedankt?"
„Nee. Ik was ook uit," zei ze stug.
„En mocht die borst dit keer wel mee in huis?"
„Dat ook. En hij heet Lieuwe Bootsman."
Ziezo, dat was gezegd. Gespannen bezag ze zijn gezicht. Gelukkig, vader keek nog gewoon.
„Bootsman? Bootsman?" herhaalde hij. „Ik ken geen Bootsman."
„Zijn vader boert in Wognum," lichtte één van de meisjes hem in. „Lieuwes moeder is een dochter van Willem Peetoom uit Blokker."
„Krek, nou weet ik het." Frederik fronste zijn voorhoofd. „En ben jij daar mee uit weest?"
Jansje knikte en keek hem vol aan.
„En vandaag doen ik het weer."
„Als het daar dan maar bij blijft éé."
Jansje hoorde duidelijk een waarschuwende klank in zijn stem. Maar gelukkig nam hij het verder nogal.

„Maar hij mag over twee weke toch wel kome te koffie-ophalen?" vroeg ze dringend.
„Jazeker. Dat hoort toch zo," zei Frederik kortaf en hij liep meteen door naar de kaasboet om te zien hoe zijn personeel het er op deze dag had afgebracht. Niet dat hij daar onrustig over was. Teuntje had een goede hand van kazen, zijn arbeider verzorgde het werk alsof hij het voor zichzelf deed en de ouwe Tijmen Smak, die hen deze dagen hielp, was in dit bedrijf ook al een vertrouwd persoon. Die man en zijn vrouw kregen wekelijks wel een bedragje van het kerkbestuur, maar het meeste geld waar ze van leefden verdiende Tijmen nog op deze plaats met melken, schoonmaken en in de hooitijd. Veel kon ie niet meer doen, maar wát ie deed, dat deed hij goed, al was ie dan bijna zoventig jaar.
Ja, hij zou Tijmen misse als die r's doodging of niks meer kon, bedacht Frederik. Hij moest 'm morgen maar twee kwartjes meer betale. Omdat het dan kermis weest was.
Gelukkig voor Jansje was het vandaag nog niet zo ver. Nog nooit was ze zo gelukkig geweest als in deze uren waarin Lieuwe niet uit haar gedachten kwam, al moesten haar ogen hem af en toe missen in de paar korte pauzes wanneer hij en zij met de anderen de herberg even moesten verlaten om te eten. Alleen de manier waarop hij haar tijdens het dansen vasthield was al bijzonder. Zelfs daarin lag al een zekere tederheid. En dan zijn gezicht, zo dicht bij het hare dat ze de liefdewoordjes kon horen die hij haar zachtjes toezong op de bekende melodietjes die de beide muzikanten speelden. Heel deze dag en de erop aansluitende nacht waren één roes van verrukking.
Want het daagde al eer Lieuwe als laatste der kermisvrijers de hoeve van Frederik Mantel verliet.
„Tot over twaalf dagen," zei hij nog innig bij het afscheid.
„Hoe moet je hier dan komen?" vroeg Jansje nu ze aan de afstand dacht.
„Gewoon. Op mijn fiets," zei Lieuwe.
„Heb jij die dan?"
Verbaasd keek ze hem aan, in zover de schemering dit toeliet. Er waren hier in het dorp nog maar drie mannen die zo'n ding hadden en dat waren mensen zoals haar vader. Alleen wat jonger. Maar iemand als Lieuwe . . .

„Waarom ben je daar nou ook niet op komen?" vroeg ze ongelovig.
„Och, mijn vader moest hier gister toch met paard en wagen heen en toe besloot ik om ook maar mee te gaan. Dat was gezelliger dan de rit alleen. En vanochtend haalt ie ons weer op. Het is haast de moeite niet meer om nog in bed te gaan."
„Nee," gaf ze hem gelijk. „Toch doen ik het nog maar effies."
Ze bracht hem naar de deur waar een licht windje haar wangen streelde met een weelde van geuren waarin die van de noteboom, wiens takken de kaasboet aan de voorzijde overhuifden en daardoor koel hielden, het meest opvielen. Een boom die waarschijnlijk even oud was als de boerderij.
Nog één omhelzing; dan liep Lieuwe het straatje af naar de weg en Jansje ging naar binnen. Na een kleine afstand bleef Lieuwe nog even staan en keek achterom naar het hoge puntdak dat aan deze hoeve een bijzonder aanzien gaf door zijn hoogte en de ruimte die het bedekken moest.
„Wat een kolossale plaats," prevelde hij. „Hoe had ik de moed . . . Maar voor zo'n lief schatje waag je álles. Toch geloof ik niet dat ik zondag over een week door de ouwe Mantel en zijn vrouw erg hartelijk ontvangen worre zal."
Dit viel echter mee, al liet Frederik hem duidelijk voelen dat Lieuwe van een heel andere stand was dan de hunne.
Doch toen Jansje en hij even later samen op de koegang zaten, toen deerde hun dat niet meer. Toen waren er enkel lieve woordjes en kussen zoals zij die van een ander nog nooit had gekregen. En weer was het al bijna licht voor Lieuwe op zijn fiets stapte en vertrok. Maar eer het zover was wist hij precies naar welke dorpen Jansje deze zomer tijdens de kermisdagen uit logeren zou gaan. Gelukkig waren dat er nogal vele.
Zij bleef eenzaam achter, bracht dan de twee stoelen naar het zomerverblijf terug en overzag vandaar een poosje de koegang als zag ze die voor de eerste maal. Het prille zonlicht, dat door de kleine ruitjes boven de koestallen naar binnen viel, deed het blauw geverfde hooischot glanzen en maakte van de brede biezenmat, die het midden van de tegelvloer van begin tot eind bedekte, een lichte streep. De zwartgelakte beun die de groep afsloot stak sterk af tegen de gele steentjes van de stalranden. Haar blik gleed over de gewitte muren ervan, over de brand-

schoon geboende schotten die de stallen scheidden en dan naar de grote en wijde melkschalen die daar stonden te romen. Dit bracht haar gedachten terug naar het werk dat ze straks weer moest doen.
Want de kermis was voorbij.
Doch eerst moest ze wat anders doen. Stil, dóódstil door de huiskamer sluipen waar vader en moeder sliepen en vandaar in haar eigen slaapvertrek. Zij hoefden niet te weten hoelang ze gevrijd hadden.
Het lukte. Maar met de paar uurtjes slaap die Jansje nog waren toebedeeld lukte het niet. Er was teveel dat nog door haar gedachten woelde. Ze hoorde hoe haar moeder opstond, Klaasje verzorgde en dan naar de koegang ging. Daarna bewees wat gehoest en gekuch dat ook haar vader was opgestaan.
„O ja, er moet vandaag ook nog karnd worre," fluisterde ze onwillig. „Hier houdt het werk nooit r's op. Hoe zou dat in zo'n herberg weze waar Lieuwe is?"
Ze keek naar Johanna die achter haar in de bedstee lag. Over een klein jaar kwam die van school af en kreeg hier dan ook haar taak. Niet dat het die van haarzelf veel zou verlichten, want bijdat was Teuntje getrouwd en kwam hier een andere en beslist veel jongere meid die nog aan alles moest wennen en die waarschijnlijk lang niet zo handig zou zijn.
Jansje zag zichzelf al dagelijks aan de kaastobbe staan en ze rilde even. Foei, wat maakten twee kermisdagen een mens doodmoe. De logés in de andere voorkamer waren maar gelukkig. Die konden ook nu lekker uitslapen.
Zodra haar moeder tegen de wand klopte stond ze op, trok haar daagse jurk aan en ging aan de slag. En welk een slag. Terwijl Teuntje de was deed en Jansje het kazen verzorgde, liep Azor, de hond, in het karnrad dat midden in de schuur stond. Telkens grepen zijn nagels één der in het wiel aangebrachte latten en zo dreef hij dit al lopende rond. Dit rad was een uitvinding van Frederiks vader, van een smid en van een wagenmaker. Door overbrenging van de beweging werd het karnen, dat anders met de hand moest gebeuren en een tijdrovend werk was, nu door de hond gedaan. Minderde het dier zijn vaart dan was een enkel aanmoedigend woord voldoende om zijn tred te verhaasten. Hij wist, dat hem na dit werk altijd een bak met extra

lekker eten wachtte. Frederik hield zelf toezicht op het werk. Van zijn hond en ook van Jansje. Immers . . . alleen maar door te kijken kon je al veel verdienen. Met het zouten, kneden en opmaken van de boter bemoeide hij zich nooit. Dat was Hiltjes werk. Stonden de kopjes boter eenmaal keurig in de tijn, dan had hij er niets anders aan te doen dan ze naar de markt in Hoorn te brengen en daar te verkopen. En net als zijn kaas was ook zijn boter daar heel gewild.
Ja, dat markten deed hij graag. Eerst al de rit naar Hoorn met het mooie paard voor de glanzend geverfde bakwagen. Een fraai geheel, volkomen passend bij de hereboer die hij wist te zijn. Op zo'n dag ontmoette je daar familie, vrienden en kennissen en je hoorde dan alle gebeuren uit de tijd na een laatste ontmoeting. En terwijl jij dan zelf met je sierlijke zwartje pronkte reed de werkman met het ruige werkpaard mest en gier naar je land om het daar te verspreiden en zorgde je vrouwvolk voor het andere werk in je bedrijf.
Ja, Frederik Mantel was best met zijn leven tevreden. Hij had de mooiste en beste plaats van het dorp, geen cent schuld, een flinke vrouw, zijn oudste zoon rijk getrouwd, één handige knappe dochter en één die hopelijk ook zo zou worden en dan verder nog hun kleine Klaasje die hem later, als hij genoeg had van het boeren en daarna rentenieren wou, kon opvolgen in huis en bedrijf.
Heel die zomer hadden ze het druk met de vele kermisgastdagen bij familie waar ze heen moesten. Ze gingen dan met de glazenwagen want de kinderen mochten mee en Jansje werd daar altijd meteen te logeren gevraagd. En druk of niet druk, zoiets mocht je zo'n meisje niet onthouden, al haalde het bij haar weinig uit. Want een vrijer kwam er tot nu toe bij Jansje niet aan te pas. En daar gingen de jongelui toch voor te kermis. Elkaar opzoeken en samen plezier maken. Maar al zette hij dan twee weken na zo'n kermis alvast de sigaren op tafel klaar . . . er kwam geen mens anders binnen dan de vrijer van Teuntje. En Jansje . . . ze praatte niet over dat alleen blijven. Vroeger wel, toen hoorde je álles van haar. Wie haar had gevraagd, wie ze had bedankt en wie haar had thuisgebracht. Maar nou . . . geen woord. Na dat geval met Jan Bierhaalder was ze zo dicht als een pot. En toch diende hij daar toen wel iets over te zeggen.

Je ziet je kinderen graag goed getrouwd. Eén naam had ze indertijd nog genoemd . . . van die Lieuwe Bootsman. Nou, dat kon ze gerust doen, dat was toch maar voor één keertje. Die was toen misschien wel haar enige kans geweest. En omdat de logés alle drie al waren uitgevraagd had zij hem maar genomen. Zo moest het vast gebeurd zijn. Daarom had hijzelf die jongen later ook zo behoorlijk mogelijk ontvangen, al was het een ongewoon idee geweest dat hij op een fiets de dam in reed. En toch zou dat in de toekomst wel vaker gebeuren, want alle jongelui die het konden betalen wilden zo'n ding hebben. En och . . . makkelijk was het wel. Het uitgaan met paard en kar had veel bezwaren. De drukte van in- en uitspannen, de stalling . . . Daar hadden de arme jongens geen last van. Die gingen te voet uit vrijen, al moesten ze daar soms twee of drie uur voor lopen.
Eén keertje, zo dacht Frederik. Maar hij had verkeerd gedacht, want in welk dorp Jansje tijdens de kermis die daar was ook logeerde, Lieuwe was er ook. En ze had die hele zomer het zeldzame geluk dat geen van de andere meisjes, hetzij nichten of kennissen, dit aan Frederik vertelde. Wie er ook genoemd werd, Lieuwe Bootsman toevallig nooit.
„Kom maar niet te koffie ophalen," had ze hem al de eerste keer gezegd. „Ik wil thuis geen lelijke gezichten. En dan is er ook nog de kans dat ik van vader nergens meer heen mag."
„Hij was toen toch erg geschikt," vond Lieuwe.
„Voor die ene keer wel. Maar je hebt kans dat ie je bij een volgend bezoek de deur wijst," voorspelde ze beslist.
En zij kon dit weten. Dus wachtte Lieuwe op een volgende kermis waar zij heen mocht. Tot één der allerlaatste kwam. Die van Blokker, waarvoor de hele familie was uitgenodigd.
Het was op een prachtige herfstdag dat ze erheen reden. Paard, tuigen en wagen blonken in het licht van de klimmende zon toen het gerij de dam uitging, de dorpsweg over en dan langs twee stille lanen naar het feestende dorp, dat hen met keurig verzorgde huizen en erven scheen te verwachten. Halverwege ervan, bij één der allermooiste hoeven, hield Frederik zijn paard in en stuurde het naar een breed met nieuw aangebrachte schelpen bestrooid rijpad, waar een jonge arbeider gereed stond om het dier uit te spannen en weg te brengen. Op het erf zag

Frederik meerdere wagens en karren; ook die van hun oudste zoon.
Vanzelf. Cor zou eens niet de eerste zijn. En dat kon nou nog. Doch wacht maar . . . als over een jaar of wat in hun eigen dorp ook een kaasfabriek kwam, dan zouwe ze d'rs zien wie hier dan de eerste gasten werden.
De dag verliep als alle andere kermisdagen. Er werd gepraat, gelachen, gegeten en gedronken. Een weelde van trots gedragen sieraden in goud en juweel blonk in de schemer van de smalle diepe kamer waarin aan de voorkant slechts één tamelijk breed venster was. Sigarenrook kronkelde langs de glanzend geverfde zolder en het hele vertrek geurde naar alcohol en eau de cologne. 's Middags wandelden de mannen eerst naar de schuren en daarna het land in om het vee te bezien, terwijl de vrouwen zich wat op het erf gingen vertreden. Het milde zonlicht toonde de gehele plaats op zijn allermooist. Het donker wordende gras, het verkleurend gebladerte aan sier- en vruchtbomen, de geurende pracht van een rij violieren tegen een achtermuur, het zag er allemaal zo echt vredig uit.
Jansje was daar echter niet bij. Die danste al met de andere jongelui in „De Witte Eenhoorn" en keek intussen zoekend rond naar de ene die in haar leven telde, die voor haar àlles was wat telde. En ergens in een hoek op één der banken zat Johanna die benijdend toezag hoe de ouderen zich vermaakten. Ze zag ook hoe blij Jansje oprees toen die vrijer van hun eigen kermis op haar toekwam en hoe die twee daarna dansten. En dat niet eenmaal, maar telkens opnieuw, elk deuntje weer. Ze was dus weer uit met die vent. En dat wist zij nu lekker het eerst.
's Avonds, toen de meisjes thuiskwamen om zich te verkleden, de mooie jurken uit en iets minder mooie aan, informeerden de ouderen plagend naar hun genoegen en tersluiks ook naar een mogelijke vrijer. De meesten waren al uitgevraagd en een enkele noemde reeds een naam die ze al meermalen had besproken.
„Dat wijst dus op verkering," prees de gastheer. „En hoe staat het met jou?" wendde hij zich dan tot Jansje.
„Ik wacht het nog wat af," zei ze kalm.
„Niet waar. Dat jok je," schoot nu plotseling de schelle stem van Johanna door het geroezemoes in de kamer. „Ik heb het

wel zien 'oor. Jij benne met dezelfde knul waarmee je toe bij ons uit was. Met die Lieuwe. En het was vast afgesproken werk want je zat op hem te wachten. En je hewwe later alle deuntjes met hem danst."
„En wat zou dat?" beet Jansje terug. „Dansen is nog geen uitgaan."
„Maar het wil er wel d'rs van kome," waarschuwde één van de mannen.
Dan dit keer toch niet, nam Frederik zich voor.
„Wat is dat voor een Lieuwe?" vroeg Cor later, toen allen aan tafel zaten.
Onwillig gaf Frederik uitleg over dat wat hij er van wist.
„Oh, is het die?" wist nu één van zijn zwagers. „Nou, als dit wat wordt, dan zien ik jouw dochter aanstonds als kasteleines in ,De Kroon'. Die Lieuwe is daar zo goed als thuishaald. Dat is niks gek, Freek. Dan heb jij op kermis vrij drinken, man."
Iedereen lachte maar Frederik niet. Hij begreep nu waarom Jansje niets vertelde. Dit spel was misschien de hele zomer al aan de gang. Maar hij was er gelukkig ook nog. Jansje wou Jan Bierhaalder niet, maar Lieuwe Bootsman kreeg ze niet.
En dat begreep Jansje nu zelf ook. Maar deze ene avond had ze nog en later zouden ze wel verder zien. Samen met de andere meisjes liep ze door het milde duister van de herfstavond naar de herberg terug, waar Lieuwe haar al wachtte.
Die nacht beloofde hij met zijn lippen tegen haar wang dat hij op haar zou blijven wachten.
„Ken jij de mense bij wie mijn vader en moeder op jullie kermis te gast ware?" vroeg hij later.
„Ja, zo'n beetje," gaf Jansje toe. Wat wist een rijke boerendochter als zij van een prutsertje aan het andere eind van het dorp. Want zo noemde vader zo'n bouwerman die er enkel 's winters een paar koeien op nahield. En wat voor koeien. Scharminkels, overschotjes van de koemarkt.
„Hullie dochter ken ik beter," zei ze dan. „Die is bij ons op de gym."
„Ja, dat weet ik," prevelde Lieuwe. „Jullie zien mekaar dus iedere week."
„Meestal wel. Maar echt kenne doen ik 'r niet 'oor. Zij zit altijd bij 'r eigen soort."

„En jij bij het jouwe?" gniffelde hij vragend.
„Zo is het nou eenmaal," zei ze strak. „Maar wat bedoel je met haar?"
„Wel . . . als er voor ons een kansje is om mekaar te ontmoeten, stuur ik een brief aan haar die ze aan jou doorgeve moet. En weet jij wat, dan schrijf jij dat rechtstreeks aan mijn," stelde hij voor.
„Zou zij dat wel wille?" weifelde Jansje. Nu ze er goed over nadacht had ze geen twintig woorden met dat meisje gewisseld. Ze wist enkel dat ze Brechtje heette.
„Waarom niet?" vroeg hij verbaasd. „Ze helpt er ons toch mee. Dat doet ze vast graag."
„Goed. Ik zal op haar letten," nam Jansje zich voor.
En zo gebeurde het dat in die winter de dochter van Frederik Mantel een vluchtige vriendschap sloot met Brechtje Edam. Ze ging op de gymnastiekavonden zomaar bij haar zitten voor een praatje. Iets wat in de paar jaren dat de damesgym in het dorp bestond nog niet was voorgekomen. O ja, ze kenden elkaar, ze spraken wel eens met elkaar, doch vriendschap was er niet bij. En nu opeens . . .
Maar geen der anderen wist iets van de overgebrachte boodschap of het voorzichtig overgegeven briefje dat in Jansjes leven zo'n heerlijke spanning bracht.
Ze schreef terug. Soms in de nacht als haar ouders sliepen. Dan schoof ze voorzichtig bij Johanna vandaan, liet zich uit de bedstee glijden en schreef bij kaarslicht snel in welk dorp ze ging logeren of welke uitvoering ze in de eigen plaats zou bezoeken. Dan verzon ze overdag een boodschap welke haar gelegenheid gaf die brief te posten.
En Lieuwe kwam op de weinige keren dat het die winter gelukte om een paar uur samen te zijn op een plek waar niemand hen kon ontdekken. Tot dit Jansje te moeilijk werd en ze tijdens het bal op de laatste uitvoering van het seizoen gewoon voor ieders gezicht met hem uitging en daarna thuis met hem opzat.
„Had jij vannacht een vrijer?" vroeg de nieuwe meid tijdens het ontbijt. „Ik hoorde hem weggaan. Hij rinkelde nog een hele tijd met zijn fietsbel."
Jansje keek haar stuurs aan. Ze gewende nog slecht aan het

nieuwe gezicht dat ze nu van Kerstmis af al tegenover zich aan tafel zag. Wat toch jammer dat Teuntje trouwen ging. Die zou aan tafel nooit zoiets vragen. Wel later, als je samen in de kaasboet was. Maar dit lompe, onhandige schepsel wist haar plaats niet.
„Dan moest jij zeker weer alleen naar huis?" vroeg ze terug.
Het meisje knikte wat verdrietig.
„Ja, die ik wil, die wil mijn niet en zo is het omgekeerd ook," bekende ze eerlijk.
„De goeie komt voor jou ook nog wel," troostte Hiltje. „Er is geen pan of er past een deksel op. Maar had jij weer een fietsvrijer?" wendde ze zich dan tot Jansje.
„Ja, dat had ik," zei die kortaf en ze keek strak naar buiten waar de zonnestralen door de nog kale takken van een grote pereboom het venster in gloed zetten. „Ik vertel aanstonds wel wie het was."
Want nu moest dat. In de afgelopen nacht had Lieuwe haar na één van zijn verrukkelijke kussen heel zachtjes gevraagd of ze de moed had om morgen . . . stel je voor . . . morgen, met hem na het huwelijk van zijn zuster haar bruiloft mee te vieren. Toen, met zijn armen om haar heen en haar hoofd tegen zijn schouder, had dat zo eenvoudig geleken. Maar nu . . . straks . . .
Toch deed ze het. Zodra de meid naar de boenluif was en de arbeider naar de varkensschuur zei ze flink: „Ik was gisteravond weer met Lieuwe Bootsman uit en die heb mijn te bruiloft vraagd. Zijn zuster gaat trouwe. En ik heb het annomen ook."
„Zo. Heb jij dat vannacht annomen. Nou, dan schrijf je het vandaag maar weer af," beval Frederik. „Die knul is niks voor jou en zijn familie evenmin."
Jansje keek hem recht in het strenge gezicht met de harde mond en de koele ogen.
„Daar is het te laat voor vader," zei ze rustig. „Het feest is morgen al. Lieuwe komt me 's middags halen."
„Hoe?" hoonde Frederik. „Op die fiets van hem?"
„Nee, met paard en kar."
„Wel, wel. Dat zal me een stelletje weze. Als je maar weet dat het niet doorgaat 'oor."
Dat gaat het wel, nam Jansje zich voor. Maar toch zei ze nog

even: „Jullie zal er anders niks bij te kort kome 'oor. Het feest duurt maar kort. Ik ben na melkerstijd alweer thuis."
„Dat ben je niet, dat blijf je," verwaardigde Frederik zich om nog eens te zeggen.
Zwijgend keerde Jansje zich om en liep naar de kaasboet om daar haar werk te doen. Een taak die zij nu alleen moest afhandelen omdat de handen van de nieuwe meid daar weinig van terecht brachten. De enige keer dat het kazen aan haar was toevertrouwd bleek een mislukking te zijn. Ze was goed voor het boen- en schrobwerk, voor het melken en voor de was, doch hogere eisen moest men haar niet stellen.
De andere dag, na het eten, terwijl Hiltje rustte en Frederik in zijn stoel een dutje deed, legde Jansje alvast haar hoed, mantel en tasje dicht bij de buitendeur gereed en kleedde zich in haar mooiste jurkje. Want straks . . .
Ze zaten juist aan hun eerste kopje thee toen Lieuwe voorreed met zijn vaders bonkige paard voor een geleende kar. Jansje stond meteen op en zette haar kopje neer.
„Stuur jij 'm terug of moet ik het doen?" zei Frederik bits. „Wat verbeeldt die slampamper zijn eigen wel?"
„Blijf maar mooi zitten, vader," raadde Jansje hem rustig aan. „Ik gaan zelf wel naar Lieuwe toe."
En ze verliet de kamer.
„Moet dat nou zo," verweet Hiltje hem dit. „Ze had er 'r beste kleedje al voor an."
„Dan doet ze dat maar weer uit," besliste hij met een vlugge blik naar het voertuig dat nog voor de dam stond. „Met zo'n knol durft ie hier zeker het pad niet op te komen. Maar wat is dat nou?" stoof hij woedend op. „Ze stapt bij 'm in. Ze rije weg . . . !"
Frederik had goed gezien. Jansje, geheel aangekleed, wipte naast Lieuwe in de kar en reed met hem weg.
„Maar dat neem ik niet," voer hij woedend uit. „Ik gaan ze achterna; ik haal 'r terug."
Hiltje keek naar zijn hard, nu rood aangelopen gezicht en dacht tegelijk aan een ander gelaat dat voor haar thuis hoorde in een verre droom. Het gezicht van een eenvoudige jongen die niet paste in haar trotse toekomstverwachting. En die ze nooit vergeten had.

„Dat doe je niet," zei ze ijzig. „Als Jansje die Bootsman beslist hewwe wil, laat 'r dan haar gang maar gaan. Hoe minder wij er van zegge, hoe beter het is. En aars . . . wie zijn gat brandt moet op de blare zitte."
„Maar wat ziet ze in die kerel?" vroeg Frederik zich af. „Hij heb een knap uiterlijk en mooie maniere, maar hij ken niks. Zijn eigen kost ken ie amper verdiene."
„Als zij dat zelf ook ziet, maakt ze wel een end an die verkering," hoopte Hiltje.
„En toch neem ik het niet," hield Frederik nog aan. „Ze is nog minderjarig. Ik kan het 'r verbiede."
„En wat krijge we dan? Ruzie en lelijke gezichte," hield zijn vrouw hem voor. „En uiteindelijk krijge ze mekaar toch. We kenne er het onze van zegge, dat wel. Maar verder . . ."
„Jij benne veels te goed. Een dochter van ons met een jôôn uit zo'n nest . . ."
„Maar hij is toch thuishaald bij die oom en tante. En die lijkt daar een drukke herberg te hewwe. Als hij die later krijgt zit het wel goed."
„Ja . . . als . . . als . . ." betwijfelde hij dit nog. „Maar dit stiekeme weggaan zal ik 'r morgen toch goed inpepere 'oor. Dat was geen manier van doen."
Nog wat doormopperend liep hij de kamer uit, de koegang over naar buiten. Langzaam dwaalde hij rondom zijn boerderij, die mooie hoeve met zijn sierlijke dorsdeuren en mooi bewerkte voordeur waarin zoveel ruimte was voor alles wat er in geborgen moest worden. Eens had hij de verzwegen hoop gehad dat Jansje en Jan Bierhaalder hier zouden gaan boeren en hijzelf met vrouw en kinderen hiernaast in een stevig burgerhuis ging rentenieren. Dan kon hij vandaar meteen een oog in het zeil houden, al zou Jan dit zelf willen doen zodra hier ook een kaasfabriek zou staan. Maar boeren zonder zelf kaas te maken vond hij niks. En toch moest je met de tijd meegaan of het je aanstond of niet.
Kalm wandelde hij naar een hek opzij van het huis, opende daar een poortje en kwam zo op een kleine boomgaard die even lang als breed was. Hij dwaalde er even rond, opziend naar de bomen. Een lange, tengere man in het zwart, tot zelfs zijn klompen, het bef dat hij droeg en de hoge zijden pet. Een echte hereboer.

Tenslotte bleef hij staan op de plaats waar hij zijn renteniershuis gepland had. Niet te dicht aan de weg, midden op het erf. Nu moest hij misschien wel op Johanna wachten. Die was van school en kreeg enkel nog naailessen. Maar haar zou hij beter in de hand trachten te houden. Voor Jansje waren ze vast veel te goed geweest. Dat kind had geen trots. Eén blik op dit bezit moest die toch opwekken. Hij keek omhoog naar het dak van zijn hoeve, aan deze kant nog blond van pas aangebracht riet, naar de lange houten dorswand die dit voorjaar weer frisgroen geverfd moest worden, naar zijn keurig onderhouden erf en hij genoot alvast van het uitzicht dat hij er van hieruit op zou hebben als zijn renteniershuis er eenmaal stond, rechthoekig, met weinig versieringen, maar eenvoudig, degelijk en sterk. Want het moest nog velen na hem tot woning dienen.
Wie . . . ? Dat zou de tijd wel leren.

Zevende hoofdstuk

Acht dagen na zijn bezoek aan het door hem geërfde huis vroeg Fred Bootsman aan Ria, toen ze bij haar moeder aan de koffie zaten:
„Hoe laat zullen we afrijden?"
Ria keek naar het brokje grijze lucht dat vanaf haar plaats in de kamer te zien was en zei dan weifelend:
„Moet het juist vandaag? Je kunt de regen bijna grijpen. Wacht liever nog een weekje. Dat huis loopt niet weg."
„Gelukkig niet," zei hij strak. „Maar ik heb er nu eenmaal op gerekend er vandaag heen te gaan."
„Toe, reken dat dan nog één keertje over," vleide Ria. „We zitten hier net zo gezellig en Moe wil vanavond vroeg eten."
Ze keek hem met haar glanzende bruine ogen zó innig aan dat zijn blik zich in de hare dreigde te verliezen. Als zo dikwijls, wat hij uit ervaring wist.
Daarom wendde hij haastig zijn ogen af en liet ze door de kamer dwalen. Een vertrek vol kleur en glans van koperwerk en de pronkstukjes waar mevrouw Berger zo dol op was.
„Gezellig," . . . zei Ria. Maar hij vond het altijd een beetje benauwend. Dat kwam misschien wel omdat hij zijn ruime vrijgezellenkamer gewend was. En de hem dikwijls beklemmende saamhorigheid van Ria's familie weet hij altijd aan zijn eigen eenzaamheid. Later, als ze getrouwd waren en zelf een gezin hadden, zou hij daar misschien wel anders over gaan denken. Doch zover was het nu nog niet en hij had geen lust om hier deze hele dag door te brengen, hoe goed en hartelijk Ria's ouders ook waren. Met genegenheid bezag hij een kort moment dit keurige echtpaar. Hij, een gezet mannetje wiens rond kalend hoofd een goedmoedig gelaat toonde en zijn nog altijd knappe vrouw, die naar gestalte en uiterlijk zowel een oudere zuster van Ria als haar moeder kon zijn. Ze hadden hetzelfde donkere haar en stralende ogen. En haar koffie en koek waren overheerlijk.

Toch . . . hier blijven . . . daar was vandaag geen sprake van. „Dat eten is geen bezwaar," zei hij dus. „Als het wat laat wordt eten we onderweg wel ergens wat."
„Maar ik heb op jullie gerekend." Mevrouw Berger keek hem verwijtend aan.
„Ik zei toch . . . àls het wat laat wordt," suste Fred. „We kunnen in drie à vier uur weer terug zijn."
„Kùnnen wel misschien," weerlegde zij dit. „Maar doen!"
„Wist u dan niet dat we naar mijn huis zouden gaan? Heeft Ria dat niet gezegd?" vroeg Fred bevreemd en zijn blauwe ogen werden donker van wrevel.
„Welnee. Ik weet van niets."
„Oh Fred, neem me niet kwalijk," Ria sloeg een hand voor haar mond. „Ik heb het totaal vergeten."
„Enfin, we weten het nou allemaal en dus gaan we maar hè," zei hij, opstaand.
„Maar als Geert en Luus straks komen?" hield mevrouw nog aan. „En als Geert naar die voetbalwedstrijd wil waar Luus gister over belde!"
„Nou, dan gaat ie maar alleen," zei haar man nu kortaf. „Fred hoeft altijd niet mee. En je weet, ik wil er niet heen al krijg ik geld toe."
Oh, is het dat? wist Fred nu. Mijn aanstaande zwager zoekt weer eens gezelschap. Nou, dan neemt ie voor dit keer zijn vrouw maar mee. En hij bleef wachtend staan.
Ria kwam nu traag uit haar stoel.
„Vooruit dan maar," deed ze gewillig. „Ik wil toch eindelijk dat huis ook wel eens zien."
Met trots bezag Fred haar goed gevormd figuur. Net gevuld genoeg om mooi te zijn en dan dat stralende aan haar dat hem ook nu weer tegenlonkte. Geen wonder dat de klanten van de salon zo graag door haar werden geholpen en dat de eigenaar en zijn vrouw haar, figuurlijk dan, op handen droegen. En zo eentje wilde de vrouw worden van hem, de doodgewone Fred Bootsman die zelf maar weinig te bieden had. Niet dat er aan hem iets mankeerde, maar hij was toch een doodgewone vent met een vrij goed salaris en met nu, door die erfenis, een huis en wat geld. Doch wat was dat in vergelijking met een vrouw als Ria Berger? Zo'n juweeltje. Zo mooi, zo handig en zo lief,

als je maar niet tegen haar wensen inging. En och, dat kwam maar zelden voor. Tot nu toe waren ze het over alles wat hun beiden aanging meestal eens geweest.
En dat zou nu met zijn huis ook wel weer zo zijn.
„Kleed je maar goed aan," waarschuwde mevrouw Berger Ria. „Het zal koud zijn in dat lege huis. En kijk dáár eens. Het regent al."
Dat kijken was niet nodig. Allen hoorden hoe een plotseling opgestoken wind dikke druppels tegen de ruiten joeg.
„Ik bleef maar thuis," vond vader.
Doch Fred zette door.
„De volgende week is er wéér wat," stelde hij vast.
„Zo, ik ben klaar." Keurig aangekleed stond Ria voor hem. Haar warmbruine mantel was met iets lichter bont afgezet en de bijpassende muts stond een ietsje schuin op het mooie haar. „Je bent lief." Voorzichtig kuste hij haar wang en genoot even van de geur van het parfum dat zij gebruikte. Ze glimlachte hem toe. Hij toonde zich blij omdat ze meeging.
Zo reden ze door wind en regen naar het dorp.
De bewegende ruitenwissers lieten niet toe dat Ria daar veel van zag. Ook leek het begin haar niet aanlokkelijk toe. Iets verderop, voorbij een zijweg, werd dit beter. Daar waren winkels en die achtte ze nodig om te bezien. Rijen en rijen moesten er zijn. Nooit werd ze te moe om van de ene etalage naar de andere te dwalen. En overal genoot je van de uitgestalde artikelen, of je die nodig had of niet. Hier bleken het er echter maar een paar te zijn en die waren ze zó voorbij.
„Waar staat je huis nou?" vroeg ze geprikkeld door deze lichte teleurstelling.
„Nog even," troostte Fred. „En blijf jij straks in de auto als ik bij Albert Prins de sleutel haal?"
Ria knikte. Natuurlijk bleef ze dan zitten. Wat had zij met die mensen te maken?
Toch keek ze direct daarop vol belangstelling naar de vrouw die na het aanbellen van Fred de voordeur opende. Nou . . . ze weten hier ook wat ze wel of niet kunnen dragen, bedacht ze met een benijdende blik naar de oudrose japon die Dora droeg. Ze praatten even, Fred en zij, tot hij knikte en zij de deur langzaam dicht deed.

„Dora heeft ons voor straks op de thee gevraagd," vertelde hij zodra hij naast haar zat.
„Moet dat juist?" vond Ria. „Het houdt zo op en Moe wil immers vroeg eten."
„Och kom . . . zo'n halfuurtje . . ." meende Fred.
Toen bracht hij zijn wagen weer op gang en reed kruipend langzaam langs de grote hoeve naar het huis ernaast. Zijn huis.
„Dit is het," zei hij trots.
Ria keek. Ze zag een iets oplopend erf, een doodgewoon burgerhuis met nog wat groen veld erachter. Vooraan twee armetierige bomen, en verderop een paar meer. Wàt ze ook verwacht had, na al wat Fred er over verteld had, dit niet. En daarvoor waren ze in dit nare weer helemaal uit Amsterdam gekomen. Wel, als ze dit over een halfjaar eens bekijken zou was het nog vroeg genoeg geweest. Zij zag het vast met heel andere ogen dan Fred dit deed.
„Kom gauw mee," noodde hij haar de auto uit. Met een snelle greep opende hij het poortje dat in het hek voor de weg was aangebracht en trok haar dan over een smal straatje mee naar de voordeur. Snel, het hoofd gebogen tegen wind en regen, volgde Ria hem. Daardoor zag ze niet hoe mooi het frisse groen van de grasmat afstak tegen de gele straatsteentjes en ook niet hoe dicht de narcissen rond de boomstammen reeds aan hun bloei toe waren. Maar wel bekeek ze even later met afkeer de kale gang en de somber uitziende en hol klinkende lege huiskamer, waarin de heldere gordijntjes en de fris uitziende vetplantjes niet de gezelligheid brachten die ze aan de buitenkant schenen te beloven.
„Wat een heerlijk ruim vertrek hè," prees Fred de kamer aan. „En kijk r's hoe ruim en diep de kasten zijn. En daar, onder die schoorsteen, daar kunnen we een open haard laten maken."
Hij had gelijk. Jammer voor hem zag Ria enkel het verbleekte behang en de regen tegen de ramen, hoorde ze de wind rond de schoorsteen bulderen en snoof ze een verschraalde rooklucht op.
„En nou de keuken," ging Fred verder. „Dat is toch zo'n knus vertrek. Ik zie tante Zwaantje er nog in rondscharrelen."
Ria bezag het anders. Een ouderwets aanrecht zoals zij er geen kende, waarboven een geiser hing, en een soort tafeltje waarop

net een gasstel kon staan doch verder niets en dan zag ze ook een klein theepotje en een waterketeltje.
„Wat doen die hier nog?" wees Ria aan.
„Oh, die gebruikt Albert zijn dochter als ze hier zit te leren," legde Fred uit. „Dan drinkt die hier thee."
„In jouw huis?" vroeg ze opeens scherp. „En vind jij dat goed?"
„Waarom niet?" vroeg hij onverschillig terug. „Haar vader heeft toch deze hele tijd alles hier voor mij geregeld."
Dat is zo, wist Ria. Ze zweeg er dus maar over en volgde Fred, na een blik in een lege, nog betrekkelijk nieuwe bijkeuken naar een even nieuwe badkamer waarin alles wat er in hoorde schoon en blinkend aanwezig was.
„Dat valt me mee," ontviel haar vlot, al huiverde ze bij het horen van een windvlaag die wild tegen de achtermuur sloeg.
„Nou moeten we naar de overkant van de gang," zei Fred. „Daar zijn de slaapkamers. Eén die er al was en een andere die oom Klaas later heeft laten maken."
„Die zijn mooi," moest Ria erkennen. En dat waren ze ook. Licht, met openslaande vensters en veel ruimte. „Ik wou dat die bij ons thuis ook zo waren," voegde ze er aan toe.
„We gaan weer verder," leidde Fred haar nu naar de voorkamer waarin zijn geërfde meubelen stonden en waar hij direct het elektrische kacheltje zijn warmte liet uitstralen.
Hier liep Ria meteen naar een der ramen en keek tussen de gordijnen door naar buiten, over het erf en de straatweg naar het weiland aan de overkant dat zich tussen een hoeve en een eenvoudig woonhuis uitstrekte tot de dorpenrij aan een einder die ze niet kon zien doordat het regenscherm het uitzicht beknotte. Ze keek naar de natte daken, naar de lage wolkenflarden die erboven joegen en naar een man die snel de weg overstak. En ze zei somber: „Wat een rimboe."
Ik ben fout geweest, wist Fred nu. Ik had moeten wachten tot een zonnige dag in mei, als hier alles in bloei staat, het vee buiten loopt en elke kleur tot zijn recht komt. Een eerste indruk is zo belangrijk en deze is voor Ria heel slecht. Zij zal later nooit meer onbevangen de schoonheid ervan zien zonder aan dit beeld te denken. Mij hindert het niet. Ik weet hoe mooi het kan zijn en hoe heerlijk. En dan liggen hier voor mij zoveel lieve

herinneringen waar zij geen weet van heeft en die ze dus nooit met mij zal kunnen delen.
„Ga even zitten," drong hij aan en wees naar een stoel tegenover die waar hij nu plaats nam.
„Ja . . . goed . . . eventjes dan," nam Ria dit onwillig aan, maar dan, rondziende, zei ze opeens:
„Maar joh, wat heb jij hier een boel antiek staan. Dat zal een mooie stuiver opbrengen, zeg. Neem alleen dat kabinetje maar. Voor wie er van houdt is dat goud waard. En die doofpot . . . en die stoelen . . ."
„Er is nog meer!" riep Fred trots. Snel stond hij op en opende de deuren van de kast waarin de serviezen te pronk stonden.
„Nee maar . . ." zuchtte Ria gesmoord. „Wat een rijkdom, Fred. Van wat dat straks opbrengt kunnen wij ons bijna helemaal inrichten. Zulk spul is tegenwoordig erg gewild."
„Het brengt niks op. Ik wil het houwen," verstoorde Fred deze verwachting.
„Alles houden?" vroeg ze verontwaardigd.
„Ja zeker. Ik wil er niets van kwijt."
„Die ouwe rommel," wees Ria om zich heen.
„Precies."
„Hoe bestaat het."
Ze zwegen even na deze botsing van hun willen en wensen.
„En waar wil je er dan naderhand mee heen?" vroeg Ria nu heel rustig. Want juist door kalm met hem te praten kreeg ze Fred altijd waar ze hem wilde. Dat had ervaring haar heel snel geleerd.
„We laten het gewoon hier blijven," zei hij met nog een tedere blik langs de overvolle planken.
„En als het huis verkocht is? Wat dan?" wou Ria weten terwijl ze hem strak aankeek. „Ik wil die spullen niet hebben, hoor. Je weet het . . . ik hou van alles wat nieuw is en modern en praktisch. In mijn huis geen antiek. Ik zie mezelf al tussen deze meubelen zeg," schoot haar dan in gedachten en heel even klonk haar diepe, gulle lach door het vertrek.
Doch Fred lachte niet mee. Zijn hand streelde licht het rode pluche van de stoel waar oom Klaas soms, een heel enkel keertje, inzat als er visite was.
„Deftig volk," zoals tante daar dan over sprak.

„Wie praat er over verkopen," zei hij stroef. „Ik niet."
„Maar heb je wel een idee wat je ervoor krijgen kunt?" hield Ria aan. „Ik ben nog niet eens boven of achter het huis geweest, maar wat ik ervan zag, zegt mij al genoeg."
„Dat kan zijn. Maar wat het een ander waard is, dat zal het ons ook zijn," vond Fred.
„Ons . . . ?" vroeg Ria. „Mij niet, hoor. Geef mij maar een woning als die van Geert en Luus. Lekker in een keurige, gezellig uitziende wijk met centrale verwarming overal en alle gerief dat je maar wensen kunt."
„Dat laatste kan je hier ook krijgen," beloofde Fred gretig.
„Misschien wel. Maar niet zo'n omgeving als die waarin zij wonen," hield Ria af. „En dan ook nog, Fred, wat zou ik hier moeten doen? Je weet, ik houd van mijn werk. Ik wil, als we getrouwd zijn, immers blijven werken. En wat moet ik dan hier?"
„We zullen wel zien," verschoof hij dit probleem naar later. Hij had dat wonen hier tot dusver nog nooit ter sprake durven brengen en nu was het toch gebeurd en wel op een meest ongelegen dag. Hij moest Ria hier deze zomer elke mooie zondag mee naar toe nemen. Als ze dan het bloeien, het rijpen en het afsterven van al wat het land opbracht kon zien, dan ging ze er ook wel van houden. Hij moest geduld met haar hebben. Veel geduld.
„Precies. Komt tijd, komt raad," viel zij hem bij.
Ja, die tijd moet ik hem geven, nam ze zich voor. En wat de raad betreft . . . och, als ikzelf, mijn vader en moeder en Luus en Geert hem heel geleidelijk onze mening bijbrengen, dan praten we hem zijn malle idee om hier te gaan wonen wel uit het hoofd. Stel je voor, wij allebei ver van ons werk en in dit oord . . . ik zat net zo lief ergens in de Sahara.
Ze legde haar ellebogen op de tafel en zag die weerspiegeld in het glanzende blad. Toen ze zich vooroverboog ontdekte ze nu de echte schoonheid van dit meubelstuk zonder tegelijk aan de waarde te denken. Ze hief nu haar hand op en bewoog die er boven, genietend van de zuivere weergave op het donkere hout.
„Wie onderhoudt dit spul nu," uitte ze een opkomende gedachte. „Ik zie nergens stof."

„Ik vermoed dat de dochter van Albert Prins dat wel doet," meende Fred.
„Is dat het kind dat hier zo nodig moet leren?" vroeg Ria. „Nou ja, dan doet ze er tenminste iets voor terug."
„Mèt de thee die wij nu bij haar ouwelui gaan drinken," zei Fred lachend.
„Dat doen we. Daar heb ik trek in," bekende Ria.
Nog even keek ze de kamer rond. Dus zo woonden de mensen vroeger. Tafel, theetafel, stoelen, kabinet, haardgerei, bloementafeltjes . . . alles even glad en bewerkelijk door het wrijven, schuren en poetsen ervan. Het stond gezellig, dat wel. Maar het onderhoud . . .
Nee, zij wilde gerief en nog eens gerief. Als hun een huis, zoals zij had aangevraagd, werd toegewezen dan mocht dat geen problemen geven. Ze moest 's morgens op tijd op haar werk kunnen zijn en 's avonds enkel een paar noodzakelijke dingen hoeven te doen. En ze zou het zo inrichten dat al het andere werk zonder veel moeite op haar vrije dag kon geschieden.
Hier wonen . . . En dat terwijl de vrouw van haar baas ziek lag en zij daarom nu geen uur kon worden gemist omdat ze haar in de salon moest vervangen. En dat terwijl ze ook nog met het plan rondliep om schoonheidsspecialiste te worden.
Die Fred . . . ze zou hem dit huis en alle problemen die met zijn malle plan samengingen langzaam aan wel door háár ogen laten zien.
Dat hij over haar hetzelfde dacht kon Ria Berger niet weten.

Achtste hoofdstuk

Wat trekt Fred in en om dit gebouw toch zo aan? vroeg Ria zich af toen hij de auto op een verder gelegen rijpad keerde om terug te gaan en ze keek naar het huis, naar de dakkapel boven de voordeur en de zesruitsramen ernaast. Alles saai en meer dan doodgewoon.
Daarna stopte hij opnieuw bij Albert Prins en ook diens woning werd door haar bekeken.
Beter en mooier, vond ze. Maar om er in te wonen . . . voor geen goud. En dan hier . . . Ze keek recht vooruit een heel stuk de dorpsweg over. Geen hond te zien, laat staan een mens. Enkel een paar komende en gaande auto's. Niet dat het bij hen thuis in de straat nu, met dit weer, druk zou zijn, maar daar was zelfs dan heel wat meer leven dan hier.
„Kom je?" zei Fred, die de deur van zijn auto al voor haar geopend hield.
Vlug stapte ze uit en vluchtte met gebogen hoofd voor hem uit het huis van Albert binnen, waar die hen al met een vrolijk: „Kom er gauw in mense," opwachtte.
„Wel foei, jullie konne het niet slechter treffe," ging hij dan verder. „Geef maar gauw je jas en mantel en ga dan naar de kamer want je zal wel koud weze."
Zo loodste hij hen verder door een der vele deuren die op de ruime vestibule uitkwamen naar de kamer, waar Dora hen hartelijk begroette.
Een beetje ouderwets, maar wel leuk, oordeelde Ria met een blik door het ruime vertrek en ze nestelde zich in een hoek van de bank terwijl Fred in een der ertegenover staande clubjes ging zitten, naast dat waarin Albert, zoals aan de ervoor liggende krant te zien was, had zitten lezen. Dat Dora's plaats in de andere hoek van de bank was, bewees het borduurwerk dat daar lag en dat meteen Ria's aandacht trok. In een hoek op de vloer dicht voor het achterraam speelden Jacob en Wimjan met een hele rij kleine autootjes. En verder stonden er in het vertrek

overal bloemen en planten, die het zwaar gebruikte meubilair en de stoffering minder deden opvallen. Er zelfs iets feestelijks aan gaven.
Dora schonk thee in.
„Gebruikt u suiker?" vroeg ze aan Ria. „Van Fred weet ik al dat het een flinke schep weze mag."
„Ik niet. Dank u," wees Ria af.
„Jullie met je u. Zeg toch jij en jou," drong Albert. „Het zij kort of lang, jullie benne nou onze bure en dan moet je niet zo stijf tegen mekaar doen."
Fred viel hem bij.
„Ik hoop dat wij elkaar voorlopig wekelijks zien en spreken."
„Wekelijks?" protesteerde Ria. „Ik heb meer te doen dan steeds hierheen te komen."
„O ja? Heb je een druk leven?" vroeg Dora met belangstelling.
„Tegenwoordig wel."
Ria schikte zich nog behaaglijker in haar hoekje, dronk even van de thee en vertelde dan over haar werk als eerste kapster en haar streven om ook schoonheidsspecialiste te worden.
„Over een halfjaartje," hoopte ze.
Dan sprak ze over de ziekte van de vrouw van haar baas waardoor de leiding van de salon tegenwoordig grotendeels aan haar was overgedragen.
„En gaat dat goed? Kun je het aan?" vroeg Dora. „Het lijkt me nogal een taak om baas over een heel stel van die jonge meisjes te wezen."
„Dat viel mij in het begin ook erg tegen," bekende Ria. „Tot dan toe waren wij als collega's met elkaar omgegaan en toen moest ik opeens boven hen staan. Ik wist mijzelf eerst niet de juiste houding te geven. Maar mijnheer Jager heeft mij toen geweldig geholpen. Dat was een hele steun."
„Mijnheer Jager? Is dat je baas?"
Ria knikte en dronk verder van haar thee.
„Wat scheelt zijn vrouw?"
„Dat weten we niet. Ze sukkelt al een hele tijd. En mijnheer heeft naast de administratie van de salon ook nog een baan als vertegenwoordiger die hij graag wil aanhouden."
„Ja, dan wordt het moeilijk," gaf Dora toe.
„En hoe vind je het huis?" wou Albert nu weten.

„Wel aardig," zei Ria lauw.
Bezeerd keek Fred haar aan. Wel aardig . . . en dat van zijn huis . . .
„Dus jullie hewwe nog geen planne?" vroeg Dora.
„Ik beslist nog niet," wist Ria heel zeker. „Wat mij aangaat mag Fred het gerust verkopen. Wat denkt u dat het waard is," wendde ze zich dan tot Albert. „En het huis niet alleen, maar ook de dingen die daar staan."
„'t Ja . . ." Albert dacht een poosje na. „Dat is net wat een gek er voor geve wil. En die hewwe er op heden heel wat voor over."
Ria staarde naar buiten, naar het huis aan de overkant. Een nog nieuwe woning waar weinig moois aan was te zien, evenmin als aan de schuur die ernaast stond. Veel meer bekoorden haar de zwiepende takken van een pas uitbottende gouden regen die wild dooreensloegen in de sterke wind. Voor een halfuurtje was zoiets wel aardig om te zien, vond ze. Maar voor altijd . . . En toch woonde Dora hier al enkele jaren. Met een blik op de kinderen probeerde ze te schatten hoeveel dat er konden zijn.
„Hoe oud ben jij?" vroeg ze daarom aan Wimjan toen die een autootje dicht langs haar voeten voerde.
„Ik ben vijf," zei hij opstaand. „En Jacob is vier. Ik gaan al naar de kleuterschool en daar zing ik liedjes. Ken jij ook liedjes?"
„O ja," zei Ria lachend. „Hele mooie."
Het kind kwam nu dicht naast haar op de bank.
„Zing er d'rs eentje."
Zingen? Maar wat? dacht ze en begon dan maar aan het eerste wat haar in gedachten schoot, over een jongetje dat – hoewel zijn vader het hem telkens verbood – toch bij de sloot ging spelen, erin viel en verdronk.
Terwijl zij zong kwam Jacob nu ook naar haar toe en schoof zachtjes bij haar op schoot. Vertederd bezag Fred dit tafreeltje. Het lokte hem aan als een toekomstbeeld. Ria en hij met twee kinderen hier dichtbij in hun eigen huis. Zij hield zoveel van kinderen en trok ze als het ware naar zich toe.
„Heb jij dat ook op school leerd?" vroeg Wimjan, toen ze zweeg.
„Nee, van een heel oude dame. De moeder van mijn grootmoeder. Kijk, zó."

Ze nam zijn vingertjes en telde daarop af hoever die overgrootmoeder van haar af stond en deed dit zolang tot het kind dit begreep.
„Er is een onderwijzeres aan jou verloren gaan," vond Albert. „Wat een geduld heb jij."
„Ik heb dat wel geleerd met de twee van mijn zuster," vertelde Ria. „Die zijn nu al aardig groot en hebben geen oppas meer nodig, maar voorheen trok ik uren met hen op."
Terwijl zij hierover vertelde en ook iets over Geert en Luus, hun ouders, dacht Fred met een lichte wrevel aan die uren terug. Want heel vaak als hij hoopte op een innig samenzijn met haar op zijn kamer had Luus Ria nodig voor een oppasavond bij de twee lastige rakkers die geregeld hun bed uitkwamen en Ria en hem weinig rust lieten. En zij, met haar eindeloos geduld, zij voldeed aan hun wensen en stopte ze dan weer onder de dekens. Nu was dat allang voorbij en konden ze rustig hun liefde uitleven. Alleen was hem nu pas gebleken dat Ria weinig seksuele verlangens had, iets wat slecht bij zijn veel sterkere begeerte paste. Doch ook dit was langzamerhand geregeld. Ze hadden zich zoveel als mogelijk bleek naar elkaars aard geschikt. Je hield nu eenmaal van elkaar en moest dan verder de dingen maar nemen zoals die waren. Dit meestal . . . zoals Ria die wilde. En och, dan was het altijd goed.
En opnieuw verlustigde hij zich aan het beeld op de bank. Een kind op haar schoot en één in haar arm.
„Blijf jullie nog effies voor een kop koffie?" vroeg Dora nu.
„Zullen we . . . ?" aarzelde Fred.
„Graag," nam Ria dit tot zijn genoegen aan.
„Waar is Margriet?" ontdekte Fred nu opeens een soort van leegte in het vertrek.
„Oh, die is naar een vriendin," zei Albert en dan, met een blik naar de klok: „Ze komt zo wel terug."
Margriet . . . peinsde Ria. O ja, dat is het kind dat in het huis van Fred af en toe zit te leren.
„Hoe is het? Heb jullie al trouwplanne?" wou Albert nu weten. „Want als dat nog niet zo is, dan wil ik graag dat hoekje tuin van je hure, Fred. Voor wat aardappels en groente, weet je."
„Wat mijzelf aangaat, ik wil wel," zei Fred. „Maar dat hangt van Ria af."

Nou oppassen, dacht zij. Geen ja en geen nee zeggen. Gewoon een slag om de arm houden. Ik moet tijd winnen. Zijn wens moet onmogelijk gemaakt worden, die moet zo langzaam doodbloeden dat dit huis met alles wat erin en eraan zit hem niets meer schelen kan.
„Zolang mevrouw Jager nog ziek is kan ik haar salon moeilijk in de steek laten," gaf ze voor. „Zij en haar man zijn altijd goed voor me geweest en daar wil ik graag iets voor terugdoen."
Voor Fred hiertegen protesteren kon greep ze naar het borduurwerk waar Dora aan bezig was, vroeg vol belangstelling naar het patroon ervan en vertelde over dat waar ze zelf aan bezig was. Zo ontstond er onder het koffiedrinken een prettig gesprek tussen hen beiden, terwijl de mannen de mogelijkheden van het stukje grond achter het huis van Fred bespraken. Buiten sloeg de wind tegen de gevel en spoelden nieuwe regenvlagen de ruiten schoon. Fred genoot van deze paar uren met Ria tegenover zich om te bewonderen. Zijn aandacht gold nu in het bijzonder haar handen. Mooi waren ook die, vond hij. Niet te groot, niet te klein, goed verzorgd en fraai van vorm. Betrouwbare handen, vond hij. Al wat die deden moest goed zijn. Hij zou er voor zorgen dat ze die later niet bedierf door ruw buitenwerk of hulp in hun tuin. Nee, die karweitjes zou hij zelf doen. Hoe meer hoe liever. Dus nu, dit jaar, zou Albert daar nog maaien en tuinieren. In die tijd zou hij Ria langzaam rijp maken voor het idee om hier zelf te gaan wonen.
En dan . . . als het weer lente werd . . .
Boven het lawaai van wind en regen uit hoorden ze nu opeens het geknetter van een bromfiets die het pad naast het huis overging.
„Daar is Margriet," stelde Albert vast.
„In dit weer? Op zo'n ding?" vroeg Ria verbaasd.
„Welja. Ze smelt niet," zei hij. „Weer of geen weer, ze rijdt er iedere dag op naar Hoorn en terug. Het moet al heel bar weze als zij r's een keertje met de bus gaat."
Ria hoorde het meisje nu ergens achter bezig zich van haar helm en bovenkleding te ontdoen en ze dacht aan haar eigen tochtjes van en naar het werk. Bij heel goed weer op de fiets, doch als dat niet helemaal zeker was met de tram. Vanaf de beide haltes was ze in enkele seconden op haar bestemming. Zo

behield ze zonder moeite een keurig uiterlijk. En dat vond Ria zeer belangrijk. Als een spiegel verslijten kon had zij al dikwijls een nieuwe nodig gehad.
Ze liet nu de broertjes opstaan en naar achter rennen, vanwaar hun druk pratende stemmen duidelijk hoorbaar waren.
„Dus er is daar een lieve mevrouw?" zei Margriet tenslotte. „Nou, ga dan maar mee naar binnen zodat ik die ook kan ontmoeten."
Zo gebeurde het en er volgde eerst een vlugge kennismaking met Ria, voor Margriet ook Fred een hand gaf en daarna zelf een zitplaats koos.
„Even bij de kachel hoor," zei ze tegen Dora. „Het is buiten nogal fris."
„Dat is aan je te zien," vond Ria, met een blik op haar huiverende gestalte.
Ze zag nu ook dat dit meisje geen studerend kind meer was maar al echt een jonge vrouw. Fred kon zoiets blijkbaar minder goed schatten dan zij. En och, hoe zou hij ook. De andere analysten waar hij dagelijks mee samenwerkte waren toevallig allen mannen en verder kwam hij ook weinig met meisjes in contact.
Deze Margriet was geen schoonheid. Dat had ze bij haar binnenkomst meteen al gezien. En er was weinig van te maken ook. Die tamelijk kleine ogen, de aparte neus en de vorm van haar mond leken haar niet geschikt om na welke behandeling ook een succes te zijn. Toch had ze wel iets aantrekkelijks, deze Margriet. Dat was het zonnige wat van haar uitging en de hartelijke klank van haar wat hese stem. Met Dora was het heel anders. Die zou ze dolgraag eens onder handen nemen, dan werd ze een heel andere vrouw om te zien. Die mond en kin . . . de vorm van dat gezicht . . . de ogen . . . en daarbij nog dat prachtig ingeplante haar.
Ria zag al bijna het resultaat.
De jongelui gingen weer spelen en Ria stond nu langzaam op. „Fred, we moeten gaan hoor. Het is al nodig onze tijd," waarschuwde ze dringend.
Ongaarne kwam hij omhoog. Die Albert was zo'n gezellige kerel om mee te praten dat je er zelfs de waarschuwing van je aanstaande schoonmoeder bij vergat.

„O ja, we moeten vroeg eten," vertelde hij dus zichzelf nog even.
„Wanneer zien we je weer?" vroeg Albert nog toen Fred aan Margriet de sleutel overreikte.
„Ik denk van zaterdag," nam hij zich voor. „En dan neem ik alvast een slaapzak mee voor als ik daar eens een nacht logeren wil."
„Niet nodig," wist Margriet. „Daar boven staat nog een eenpersoonsledikant met alles wat erin hoort. En die sleutel heb ik niet meer nodig hoor. Ik heb gister die van de achterdeur meegenomen, dan kan ik die voortaan gebruiken om voor je planten te zorgen."
Ria fronste even haar voorhoofd. Deze Margriet leek haar een brutaaltje. Ze deed zo eigen tegen Fred alsof ze hem al jaren kende. En toch kon ze hem niet meer dan twee- of driemaal hebben ontmoet.
Niet dat ze concurrentie vreesde. Nee, verre daarvan, dat wist ze heel zeker, al vroeg ze bij het afscheid van Dora in de vestibule wel nog even terloops: „Heeft Margriet al een vaste vriend?"
Dora glimlachte toen ze zei:
„Nee, een vaste nog niet. Maar wel krijge we doorlopend veel losse over de vloer. Ze kan blijkbaar moeilijk kieze. En wij houwe haar nog graag een poosje thuis. Ze brengt heel wat gezelligheid in huis."
Buiten gekomen rende Ria dicht achter Fred aan naar de auto waarin ze daarna snel naar het toiletgerei in haar handtas greep om de schade aan haar uiterlijk te herstellen.
„Foei, wat zie ik eruit," vond ze. „Ik wil gerust wel weer eens met je mee hierheen gaan, maar het weer moet dan beter zijn."
„Je hebt gelijk," gaf hij toe. „De volgende keer doen we het in stralende zonneschijn. En als je het dan ziet . . ."
Hijzelf zag het al. En met dat beeld in zijn gedachten reed hij opgewekt over de op deze dag ongewoon stille wegen naar Amsterdam.
Ria zat stil naast hem en keek naar het in sterke golving opgejaagde water der vele sloten, naar de lege akkers en weiden en naar de trieste kaalheid rond de huizen. En ze zocht tevergeefs naar de kleurige beelden die Fred haar over het buitenleven had voorgehouden.

Thuis, in Amsterdam, omving hen al dadelijk de prettige sfeer die daar vanzelfsprekend leek te zijn. Vader Berger in zijn stoel bij de haard. Geert en Luus – hij groot, donker en stevig, zij slank en blond – tegenover hem en moeder bedrijvig heen en weer gaand van kamer naar keuken.
„Jullie bent precies op tijd," prees die hun stiptheid. „Over een klein halfuurtje is alles klaar."
„Fijn mammie," zei Ria. „Het zal smaken na een reis als die van ons."
„Maak het toch. Je zat droog en veilig," wees Fred haar terecht.
„Maar daar is dan ook alles mee gezegd," mokte ze terug.
„En hoe vond je het?" leidde haar vader af.
Nu kwam Ria los. Ze vertelde over alles wat ze van het huis had gezien in kleinerende woorden, maar sprak dan enthousiast over de inhoud van de kasten.
„Prachtige ouderwetse serviezen, kristal, zilverwerk, antieke kommen . . . En meubelen . . . ongelooflijk."
Ze heeft er meer van gezien dan ik, dacht Fred. Ik keek meer naar het geheel zoals het daar stond.
„Dus de erfenis valt mee," zei Geert. „Dat zal alles tezamen heel wat in het laatje brengen, Fred."
„Voorlopig nog niet," wees die dit af. „Ik houd alles nog in handen. Ria heeft nog niet eens alles gezien en jullie evenmin."
„Dat is waar," viel vader Berger hem bij. „Wij moeten er op een mooie zondag eens met ons allen heengaan."
Juist, dat moet, meende Fred. Als je het eerst maar hebt gezien. Dan praten jullie niet meer over verkopen. Dan zou je er zelf graag willen wonen.
En hij luisterde naar Ria's warme stem, naar het commentaar der anderen, hij rook de heerlijke etensgeuren uit de keuken en voelde zich weer geheel ingesponnen in de aangenaam huiselijke sfeer der familie Berger.
Later kwamen de kinderen van Geert en Luus de kamer in. Een zoon en een dochter, beiden aankomende tieners die uit verveling in een aangrenzend barretje wat vertier hadden gezocht. Terwijl zij daarover vertelden staarde Ria voor zich uit in het vlammend vuur van de gashaard en gaf zich over aan een verre droom die in haar gedachten was geboren toen Fred

zijn erfenis kreeg. De droom die nu zo heel dichtbij leek te komen. Een eigen salon voor kappen en schoonheidsbehandelingen. En dan net zoals bij mevrouw Jager en haar man. Zij de salon en hij zijn eigen baan.
Met alles wat die erfenis hun ging opleveren moest dat kunnen gebeuren. Ze zou dit Fred inprenten. Heel langzaam, bij stukjes en beetjes, tot hij mede door de raadgevingen van haar familie het ook zo zou zien. Wat zouden ze dan samen gelukkig zijn. Overdag elk zijn eigen werk en 's avonds samen rustig in hun huiskamer. En als alles goed ging dan konden ze zich later ook een paar kinderen veroorloven. Een mooi spannetje, net als Geert en Luus.
Ja, zo moest het gaan.
Intussen vroeg Geert aan Fred:
„Zeg, die mensen bij wie jullie vanmiddag in huis waren, in hoever is dat familie van jou?"
„Tja . . ." Fred staarde een hele poos strak voor zich uit en probeerde dit precies na te gaan. Oom Klaas was een oudoom van zijn vader, dat wist ie heel zeker. En zijn eigen overgrootvader was ergens kastelein geweest. Maar Dora . . . ?
Hoe was zijn familieverhouding tot haar?
Fred kwam er niet uit en toen ze direct daarop aan een heerlijke maaltijd konden beginnen, zette hij deze vraag voorlopig uit zijn hoofd.
Ze moesten ergens bij elkaar horen en dat was hem genoeg.

Negende hoofdstuk

Daar kon Jansje Mantel nog niets van weten toen ze op de morgen na de bruiloft van Lieuwe Bootsmans zuster voor haar vader stond en geduldig zijn scherpe terechtwijzing aanhoorde. Ze keek hem rustig aan tot dit hem ging hinderen en hij dus maar besloot met te zeggen: „Zo . . . en nou weet je hoe je moeder en ik er over denke. Wat jij gistermiddag deed is meer dan schandalig. Maar het is nou eenmaal beurd en we zulle er niet meer over prate. Maar wat ik je nog wel een keer zegge wil, dat is dat die Lieuwe Bootsman geen goeie man voor jou is. Jullie passe niet bij mekaar. Neem er toch eentje van ons eigen soort. Wat zoek je bij die mense? Heb je nou gister echt niet zien dat jij daar niet thuis hore? Zeg dat nou r's eerlijk."
Eerlijk zeggen . . . Jansje keek langs haar vaders hoofd heen naar de ontluikende vlierboom achter hem, want ze stonden naast de boenluif, buiten gehoor van het personeel voor wie Jansjes misstap van gisteren zo goed mogelijk verborgen moest blijven. En dat zou wel grotendeels gelukken ook, want de niet al te snuggere meid was toevallig juist even naar haar moeder op bezoek toen Jansje wegging en voor haar latere afwezigheid had Hiltje een redelijke verklaring gegeven: „Jansje was onverwacht naar een tante toegegaan en het kon wel laat worden voor ze terugkwam."
Het was laat geworden. Ze had amper een paar uurtjes kunnen slapen. Maar het was dit alles waard geweest. Haar weggaan, moeders tranen van zoëven en nu vaders reprimande.
Eerlijk zeggen . . . ?
Hoe kon je aan zo'n stugge man als vader vertellen dat je jezelf daar in die familie van werkelijk vrolijke mensen dadelijk op je plaats voelde? Hoe je in hun kring werd opgenomen alsof je daar altijd al een plaatsje had. Het was alles heel eenvoudig geweest. Kleding, gerei, de maaltijd. Maar vrolijk, echt werkelijk vrolijk zonder veel wijn en drank.
„Het is maar een gewoon trouwerijtje 'oor," had Lieuwes moe-

der haar al vlug verteld. „De jongelui hewwe weinig geld en bij ons zit het er ok niet an. Maar och . . . zo'n klein feestje is toch wel aardig èè."
Het was aardig en zelfs meer dan dat. Ze had genoten van elk uur dat ze er was. Daar in die kleine hoeve had ze iets gevonden wat ze hier dikwijls miste. Het enge gareel dat vader iedereen oplegde verhinderde hier in huis elke uitbundigheid. En zij had daar soms zo'n behoefte aan. Lekker dwaas doen. Even juichend door huis en hof rennen met Johanna of met de hond. Maar o wee als vader zoiets zag. Dan fronste hij zijn voorhoofd en beval nors dat je je fatsoen moest houden. Moeder liet het wel toe, die glimlachte er soms zelfs om, maar echt meedoen, dat was er nooit bij. En toch was die ook eens jong geweest. Vader beslist niet, die man was oud geboren.
„Ik heb het idee dat ik daar wel thuis hoor, vader," zei ze nu zachtjes. „Het benne nette, aardige mense en het ziet er keurig uit. Ze hewwe zelfs nog wat bij ons op voor."
„Hullie bij ons?" sneerde Frederik ongelovig.
„Jazeker. Lieuwes vader brengt de melk naar de fabriek. Ze kaze en karne daar niet meer."
„Nog effies, dan is het hier ook zo," ging Frederik er op in. „Dat is bij ons ook al vrijwel voor mekaar. Heb je nog hoord of het daar ok goed bevalt?"
„Heel best. Ze wille niet aars meer."
„Zo . . . dus het bevalt goed . . ." herhaalde Frederik. „Nou, over een paar jaar is het hier ok zo."
„Dat is aars nog een hele tijd," vond Jansje. „Ik hoop voor die dag al trouwd te wezen."
Vader moest nou meteen maar voelen dat het tussen Lieuwe en haar goed zat.
Frederik keek naar de vaste trek om haar mond en de hem streng aanziende ogen. Al had Jansje dan de wat luchtige aard van Hiltjes familie, haar sterke wil had ze van hem. Dit met die Bootsman zou ze toch doorzetten, door dik en dun. Hij zou dus voorlopig maar toegeven, op voorwaarde dat ze eerst twee jaar verloofd moesten zijn. Bijdat stond hier een kaasfabriek en had hij dus haar hulp voor het kazen niet meer nodig. Met de aandeelhouders was die zaak al bijna in kannen en kruiken. Het zou nu wel doorgaan. Het moest doorgaan. Je kon de

tijdgeest niet keren al wilden enkelen dat proberen. Elk dorp een eigen fabriek... wat een geweldige verbetering. Dat zag hijzelf nu eindelijk ook in. Wie had zoiets vroeger ooit kunnen denken.
„Dat zal je niet," zei hij beslist. „Cor had twee jaar verkering voor ie trouwde en dat moet jullie ok. Daar staan ik op. En verder schuur jij je eigen piek maar."
In één moment veranderde Jansjes uiterlijk tot een stralend geheel.
„Dat zal ik, vader," zei ze met een diepe, warme stem. „En met vreugde. Dus Lieuwe mag zondagavond kome?"
„Ja, dat zal dan wel moete èè. Maar wat die vreugde aangaat, geniet daar voorlopig dan maar van. Later kan je die dage nog wel d'rs beklage moete."
Nooit en nooit, nam ze zich voor. Ze sloeg opeens haar armen om Frederiks hals en gaf hem een zoen.
„Bedankt vader. Je weet niet half hoe blijd ik ben."
Frederik was het niet. Lang niet. Gelukkig kon er in twee jaar heel wat gebeuren. Hoeveel verlovingen werden er in zo'n periode niet verbroken. Als Jansje minder verliefd werd en alles eens nuchter bekeek zou ze zich nog wel tijdig terugtrekken. Met haar gezicht en met wat ze te wachten had kon ze wel wat beters krijgen. Straks, met Johanna, zou hij toch scherper opletten.
Nadien ging Jansje zachtjes neuriënd door de dagen. Terwijl haar handen automatisch het vaste dagelijkse werk foutloos verrichtten vlogen haar gedachten vooruit naar straks... later... als Lieuwe en zij getrouwd waren en in de herberg woonden. Want daar lag hun toekomst. In „De Kroon", een best lopende zaak waarin Lieuwes oom en tante een goed belegde boterham verdienden. Achter het café lag de kolfbaan en ernaast een ruime stal voor paarden. Alles goed verzorgd en modern. Het enige waar de oude baas zich wel eens zorg over maakte was het langzaam toenemend aantal fietsen op de wegen. Die dingen voerden de mannen van de ene plaats naar de ander zonder dat ze zelf moe werden. Dat was met paarden heel anders, die moesten af en toe rusten en daardoor ook hun baas. En hùn vertering bracht de nering. Zijn vrouw zag het minder zwart. Zij bekeek die fietsen meer als een tijdelijk mode-

verschijnsel voor de zomermaanden. Wie reed er nu 's winters op zo'n ding. Nou ja, wat jongelui misschien. Maar de ouderen hielden het wel bij paard en rijtuig.
En iedere zondagavond kwam Lieuwe naar de boerderij. En op gastdagen en theemiddagen zat hij ook mee aan tafel. Een prettige gast die gezellig aan de gesprekken mee kon doen en er altijd keurig uitzag. Zelfs een beetje te mooi naar de zin van Frederik. Maar ja, Lieuwe was nu eenmaal een knappe kerel en dat wist ie, jammer genoeg, zelf blijkbaar ook. Toch mocht hij hem wel. Als hij maar niet om Jansje vrijde.
„Wat hewwe jullie eigelijk voor planne?" vroeg hij op een avond toen de kaasfabriek bijna gereed was. Johanna en de meid waren naar bed, dus kon hij vrijuit spreken. „Jansje praat zo af en toe wel over trouwen, maar wij wete nergens van."
„Nou ja . . . ziet u . . ." weifelde de anders zo woordenrijke Lieuwe. „Ik mag de zaak van oom en tante voor een heel redelijke prijs kope. En ik kan dan de hypotheek die er op staat wel overneme. Dat zit wel goed. Maar ik moet oom betale en daar is een tweede hypotheek voor nodig."
„Juist. Ja, ja . . ." knikte Frederik. „En de inventaris? Want die moet je, naar ik verwacht, ook wel overneme?"
„Ja, dat ook nog," zei Lieuwe bedremmeld. „Ik heb het plan om daar mijn oudste broer over aan te spreken. Die is nog vrijgezel en hij heb een flinke spaarpot. Als ik hem een wat hogere rente beloof lukt het misschien wel. Hij is nogal op de penning."
„En het overschrijversgeld?" viste Frederik door.
„Daarvoor hoop ik dat Jansje . . ." bracht Lieuwe er moeilijk uit.
„Dus je hewwe zelf niks?" vroeg Frederik nu streng naar een hem allang bekende weg.
„Nee, ik heb vrijwel niks," bekende hij zachtjes. „Ik krijg van oom net genoeg geld om mijn eigen te kleden en wat uit te gaan. En verder dinge zo as dit," en hij wees op zijn gouden horloge met ketting, „en mijn fiets. En dan verder de zaak nou voor een lichte prijs."
„En jouw vader? Wat zeidt die er van?"
„Niks. Hij ken mijn toch niet helpe."
„En nou wil jij . . . ?" stelde Frederik een half uitgesproken vraag.

Lieuwe knikte gedwee.
Frederik legde zijn sigaar even op de rand van de asbak en dronk langzaam de hete koffie die Jansje juist had ingeschonken. De wanden van de kamer en de erin staande meubelen glansden in de milde brongasverlichting boven de tafel, dat aan het daarop liggende kleed een warme gloed gaf.
Even keek Lieuwe zoekend naar Jansje die met een hulpeloos gebaar haar schouders optrok. Daarna kleefde zijn blik onafgebroken aan de sierlijk opkringelende rook van Frederiks sigaar. Eindelijk sloeg de akelig luid tikkende klok negen uur en dat brak de spanning.
„Ik durfde u niet om hulp te vragen," vulde Lieuwe nu eindelijk zijn knikje aan.
„Dan heb je goed dacht," zei Frederik. „Want er valt van mijn niks te verwachten. Jansje krijgt precies evenveel mee als 'r broer had heb, maar geen cent meer. Van mijn tenminste niet."
„Toe drink jullie koffie op, het wordt bedtijd," drong Hiltje nu aan.
„Zo is het," viel Frederik haar bij. „Ik zal het vee bestelle."
Terwijl hij langs de koestallen liep en er hier en daar de mest weghaalde, bracht Jansje alvast twee keukenstoelen naar de koegang om straks met Lieuwe samen nog even alleen te zijn. Zwijgend passeerde ze daarbij haar vader tweemaal en beide keren keken ze elkaar in dit voorbijgaan even aan.
Later, weer terug, wensten alle vier vluchtig goede nacht en gingen opnieuw uit elkaar.
„Wat moete we nou?" vroeg Jansje even daarna aan Lieuwe na een eerste heerlijke zoen die haar alles deed vergeten.
„Effies afwachte," vond hij. „Ik zal deze week mijn oom en mijn vader allebei om raad vrage. Misschien wete die wel een manier om wat geschikt aan geld voor die hypotheek te komen."
„Heb je dat dan nog niet daan?" vroeg ze verbaasd.
„Welnee. Ik rekende zo'n beetje op jouw ouwe heer."
„Nou, dan heb jij je eigen lelijk verrekend," plaagde ze zachtjes. „Die hoopt aldoor nog dat het niet doorgaat met ons."
„O ja? En ik had aldoor dacht dat ie me wel mag."
„Dat doet ie ook. Maar niet als schoonzoon."
„En jij?" Stoeiend greep hij haar om de hals.

„Ik heb ook geen hekel aan je. Maar wel zal ik blijd weze als alles voor ons trouwen geregeld is."
„Nou . . . om eerlijk te wezen . . . ik ook," viel Lieuwe haar bij. „Het is al februari en als wij trouwe gaan moet dat voor half april gebeure, want in het eind van die maand hewwe we maar liefst drie grote bruilofte in de zaak. Dat zou er voor ons lekker inlope."
„En gaan je oom en tante dan echt in dat kleine huisje ernaast?"
„Beslist. Ze hewwe er het voorwoord van en de eigenaar houdt het voor hullie nog twee weke in beheer. Is bij ons de boel dan nog niet regeld, dan verkoopt ie het aan een aar."
„Is het dan zo moeilijk om een tweede hypotheek te krijgen?" wou Jansje nog weten.
„Soms wel. Maar er is bij ons nog meer. Ik zei zopas dat wel van mijn broer, maar tien tegen een dat die niet over de brug komt. Ik had aldoor zo'n stille hoop dat jouw vader ons aan alles helpe zou."
„Enfin, hoop doet leve," prevelde Jansje in het donker, welke fluistering verloren ging in de aaneenschakeling van nachtelijke geluiden in een veestal met twintig koeien en nog wat jong vee. En toen gaven ze zich nog een uurtje over aan kussen en liefdewoordjes tot Lieuwe opstond, zich even uitrekte en na nog één lange omhelzing vertrok.
„Als je wat weet schrijf je dan?" drong Jansje nog toen ze hem uitliet.
„Dat beloof ik," zei Lieuwe. „En niet de moed opgeve 'oor."
„Nooit en nooit," bezwoer ze nog snel.
Toch sliep ze die verdere nacht onrustig en het was met een wat bleek, betrokken gezichtje dat ze Frederik enige uren later stroef goede morgen wenste.
„Je vrijer is vannacht al vroeg vertrokken," polste die. „Het was nog amper twaalf uur."
„Hindert dat?" vroeg ze koel terug.
„Mijn niet 'oor. Maar niet leuk voor jou. Heb je nou toch eindelijk door dat het niks worre ken met jullie? Je hoorde het . . . hij heb geen cent en wil evengoed een zaak kope en trouwe. Dat wordt toch niks, kind. Weet toch wat je beginne."
Jansje keek hem vol aan. Ze stonden tegenover elkaar aan het

eind van de koegang voor de van ruitjes voorziene buitendeur. Enkele meters van hen af zat de arbeider te melken. Het licht gonzende, aangename geluid van de melkstralen in het schuim der al gewonnen melk was nog flauwtjes hoorbaar.
„Dat weet ik, vader," zei ze kalm. „Maar hoe het ook loopt, of dit doorgaat of niet, ik wil geen aar als Lieuwe Bootsman."
„Weet je dat heel zeker," hield hij zachtjes aan, zonder dat zijn blik de hare losliet.
„Ja. Heel zeker."
„Nou, dan moet ik je tot mijn spijt zegge dat je moeder jullie wèl helpe wil en dat je dus toch je zin krijge. Maar zo as ik zeg . . . tot mijn spijt."
En hij wendde zich af om naar zijn kalveren te gaan kijken.
Uitgelaten blij stormde Jansje nu de kamer in waar haar moeder bezig was Klaasje te verzorgen. Jansje zoende haar en dan haar broertje in een drang om iets van die vreugde te uiten.
„O moekie, wat lief van je," bracht ze dan uit. „Wat ben ik blijd, wat ben ik blijd. En ken u dat allegaar zo maar? Zonder vader?"
„Jazeker. Zo heb mijn vader dat bij ons trouwen regeld. Ik ken zelf met mijn geld doen wat ik wil."
„Dat vind ik nu van grootvader een heerlijke regeling. Maar voor Lieuwe en mijn wil ik dat niet 'oor. Samen uit, samen thuis."
„Zuk moet je maar met vader regele 'oor," zei Hiltje. „Ik heb alleen maar daan wat ik denk dat nodig is. Of het goed is, dat komt later wel uit."
„Het moet goed weze moekie," wist Jansje al heel zeker. „Zo as Lieuwe en ik van mekaar houwe . . ."
Hiltje glimlachte haar toe.
„Maar bedenk wel dat je van de liefde niet ete kenne 'oor kind," waarschuwde ze nog even.
Jansje nam haar naakte broertje nog even in haar armen en zoende hem op zijn buikje.
„Klaas, jij zult je zus nooit anders dan gelukkig zien," beloofde ze. „En ik zal het vanmiddag dadelijk aan Lieuwe schrijve. Dan hoeft die niet op zoek te gaan."
„Dat hoeft niet," zei Hiltje. „Je vader rijdt er aanstonds zelf heen en jij mag met hem mee."

„Vader zelf?" vroeg Jansje verbaasd.
„Ja mijn kind. Die neemt de dinge zo as ze nu eenmaal benne, al doet ie dat niet altijd even graag."
Dit was echter niet aan Frederik te zien toen hij die middag met zijn tilbury en het mooie rijtuigpaard eerst bij Lieuwes oom en daarna bij zijn vader voorreed.
Kort en goed werd alles geregeld in zover dat op deze dag nodig was.
„Hypotheek en inventaris?" prevelde Lieuwe vragend aan Jansje.
„Alles," fluisterde ze blij terug. „En met wat ik van mijn vader meekrijg kunne we beginne."
„Maar schat, dan benne we rijk," zei hij terwijl hem het bloed naar de wangen vloog en zijn ogen Frederiks strenge gezicht opnamen die op dat moment juist tegen Lieuwes oom zei:
„Die kolfbaan lijkt mijn niet best meer. Daar moet over een jaar of wat wel een nieuwe voor kome. De rest . . . ja, dat gaat wel."
„Maar daar is de prijs ook naar," hield de ander aan.
Dat was zo. Hier kon Frederik niets tegenin brengen.
En hij dacht: ook hier zal en moet het end de last wel dragen.

Tiende hoofdstuk

Wat Hiltje ertoe gedreven had om, tegen de wil van haar man in, de jongelui te helpen zou niemand kunnen denken. Het was een herinnering uit de tijd dat zij als jong meisje hevig verliefd was op een doodgewone wagenmakersknecht. En hij op haar. Het was tussen hen echter bij slechts een paar korte ontmoetingen gebleven. Toen zagen ze er allebei het onmogelijke van in. Een jaar later was Frederik in haar leven gekomen. Geen boeiende vrijer, maar verder had hij alles wat haar ouders wensten: bezit, afkomst, uiterlijk en manieren. Er viel niets op hem te zeggen. Dat zij hem wat stug vond? Och, dat was zo zijn manier van doen, daar wende je wel aan. Ze wàs er aan gewend. Maar het ging ten koste van haar eigen aangeboren vrolijkheid. In al deze verlopen huwelijksjaren was ze een stille vrouw geworden, niet heel gelukkig, maar ook niet ongelukkig. Ze had haar kinderen. Cor, die op zijn vader leek, de meisjes die meer haar aard hadden en dan Klaasje bij wie alles nog een raadsel was. Het bedrag waarmee ze Jansje had geholpen was ongeveer gelijk aan het erfdeel dat die van moederskant verwachten kon, zodat geen der anderen er iets bij te kort kwam.
„Weggegooid geld," had Frederik voorspeld.
Maar wat dan nog . . . Ze hadden dan tenminste de kans gekregen om op hun eigen manier gelukkig te zijn.
De bruidsdagen van Jansje en Lieuwe verliepen als die van alle boerenzoons en -dochters met de nodige gastdagen en theemiddagen bij familieleden. En Frederik en Hiltje deden daar schijnbaar opgewekt aan mee. Zij met een zwaar hart, omdat ze Klaasje aan de zorg van Johanna en de onhandige meid moest overlaten en hij, omdat dit geen schoonzoon was om mee te pronken. Integendeel. Hij moest zijn dochters keus overal goedpraten met Lieuwes oom als achterland, omdat zijn vader dit niet bezat.
Lieuwe zag er keurig uit. Een mooi donkergrijs bruigomspak en een trouwkostuum van fijn zwart laken. En zijn uitzet was

niet minder dan die Cor had meegekregen. Voor die dingen had zijn tante gezorgd.
Ook Jansje ging goed verzorgd het huwelijk in. En toen ze met haar hand in die van Lieuwe het oude raadhuis verliet, verlangde ze niets anders dan geluk. Ze zou vechten en werken om dat te behouden.
Het werk begon al meteen, want het verzorgen van drie grote zilveren bruiloften bleek niet eenvoudig, ook al had ze daarbij de ervaren hulp van Lieuwes tante en de flinke meid die gelijk met de zaak in hun dienst was overgegaan.
Zo'n feest begon 's middags om halfvier en eindigde de andere morgen te ongeveer elf uur. En al die tijd was iedereen in touw om de tafels af te ruimen of van het nodige te voorzien voor en gedurende de drie maaltijden die het toasten, zingen en voordragen tijdens het feest onderbraken.
Lieuwe zorgde intussen voor de wijn. Zodra er een fles geledigd was zorgde hij dat er meteen een volle voor in de plaats kwam, terwijl zijn oom de drie vrouwen hielp zoveel hij maar kon.
Waarom doet Lieuwe ook niet wat meer? vroeg Jansje zich tijdens de derde bruiloft af terwijl ze doodmoe even op een stoel ging zitten. Hij lijkt wel aan die wijnmande vast te staan. Onder het eten door drinke de gaste alleen maar koffie en thee, dus dan kan ie ons wel wat helpe.
Toen hij echter even daarna op haar toekwam, haar wangen streelde en vluchtig haar arm kuste was ze die lichte kritiek al weer vergeten. Lieuwe was immers volmaakt. Hoe volmaakt, dat had ze in haar weinige huwelijksnachten reeds ervaren.
Het ging hen goed. Er was dagelijks wat aanloop in de zaak, de kermisdagen troffen goed weer en werden daardoor druk bezocht en al verliepen de zondagen gedurende de zomermaanden wat rustig, er was toch de hele dag reuring in het café.
Zodra het herfst werd begonnen de vergaderingen, de kolfavonden en uitvoeringen weer met daar tussendoor een receptie van een koperen bruidspaar. De najaarskermis viel door het slechte weer letterlijk in het water maar die strop ging ten onder in het vele dat goed was. Doch in al die dagen viel Jansje op dat niet Lieuwe, doch zijn oom nog steeds aan veel dingen leiding gaf. Bij alles wat berekend, gekocht of gedaan moest worden vertelde die hoe dit gebeuren moest.

Dat moet over, nam ze zich voor. Als oom er eens niet meer is . . . En ze deed Lieuwe er over aan. Die knikte haar vriendelijk toe en zei: „Dat weet ik ook wel, schat. Maar oom doet het graag en hij doet het goed. En ik heb er toch zeker gemak van."
Het was waar, Lieuwe had er gemak van. Zoals ook van het werk op de kleine moestuin dat oom ook helemaal deed en waar zij gratis en onbezorgd van mee aten.
„Weet jij wat ik vind?" vroeg Lieuwe in de nazomer. „Jij moet fietsen lere."
„Ik fietse . . ." Jansje schaterde het uit.
„Jazeker. Ik heb bij de smid al een nieuwe damesfiets voor je besteld en hij zal mijn helpe om het je te leren. Dan krijg je een leren band om je middel en daar zitte twee rieme aan, een voor hem en een voor mijn. Dan fiets jij tussen ons in en wij houden jou met die bande in evenwicht."
„Dat zal eerst een mooi schouwspel weze," bedacht Jansje.
„Niks geen last," troostte Lieuwe. „We oefene op het zuidend en in de schemering. Met een week ken je het wel."
Nadien gebeurde het vaak, veel te vaak, dat oom en de meid samen de zaken waarnamen en de kastelein en zijn vrouw zelf afwezig waren.
Kort voor hun eerste kind, een dochter, geboren werd, stierf oom echter in zijn slaap en toen beseften ze pas hoeveel werk die hen uit handen had genomen. Zoveel, dat Lieuwe er een jaar later een knecht bij nam, Jaap Bras, een aardige jongen met een stijve knie, die weinig verdiende maar bereid was om veel te doen. Doch het belangrijkste wat oom deed kon hij niet. De controle op de inkomsten en uitgaven van de zaak, iets waarvoor Lieuwe tot nu toe nog niet de juiste belangstelling had getoond. En Jansje evenmin. Vooral toen ze kort na het eerste ook haar tweede kind verwachtte.
Het geld was er toch om uit te geven. Wat betaald moest worden, dat betaalde je en wat er overbleef was winst. Daar kon je weer andere dingen mee doen. Oom had het dan wel over naderhand een nieuwe kolfbaan. Waarvoor? Deze was nog goed. Het lekte nog nergens. Alleen als het gesneeuwd had. Maar wat lekte er dan niet? Nee, het was erger dat de meid wegging. Het werd haar te druk, zoals ze zei. Gezeur natuurlijk, vond Lieuwe. Dat beetje vrouwenwerk en dan te druk.

„Maar als ik nou r's brongas aanlegge laat, blijf je dan?" stelde hij haar voor. „Dan hoef je het fornuis niet meer te gebruiken en je hewwe geen lampe meer schoon te maken en te vullen."
Het meisje aarzelde. Het loon was hier goed en als de baas en vrouw weg waren en zij de klanten in het café hielp dan deed je daar zelf nog wat bij. Ze wisten immers toch niet of je tien of twaalf borrels verkocht. Dat vrolijke stel hier leefde zo zorgeloos als vogeltjes. Nee, een betere dienst kreeg je nooit meer. En dat de vrouw zo akelig schoon was, dat hinderde ook niet. Wel dat er hier nooit een eind aan het werk was. Maar met brongas . . . Ja, dat veranderde alles.
„Goed, dan blijf ik," beloofde ze.
En Lieuwe bestelde het meteen. Boven, beneden, in kamer, kelder, stal en kolfbaan en café, overal moest licht zijn. Gaf één bron niet genoeg, dan moesten het er twee zijn. Oom had wel gezegd dat een nieuwe kolfbaan voorging, maar hijzelf dacht daar anders over. Het gas had er eigenlijk allang moeten zijn.
En Lieuwe en Jansje lachten elkaar toe en verheugden zich over de komst van hun zoon.
IJtje en Frederik. Twee gezonde kinderen hadden ze nu. Dat had twee jaar thuiszitten gegeven, doch van nou af aan zouden ze weer van het leven plukken wat er te plukken viel.
Toen het gas was aangelegd en overal licht en warmte verspreidde was de geldtrommel leeg.
„Och, wat hindert dat," vond Lieuwe. „Het is zo kermis en dan vangen we weer zat in."
„Maar de zaak moet nodig van buiten schilderd worre," bracht Jansje hem in herinnering.
„Oh, dat ken aankomend jaar ook wel," oordeelde hij.
Dat was het begin. Uitstel van dit, uitstel van dat.
Er moest een goedkopere meid komen, er werd geld geleend om het ene gat met het andere te stoppen, doch ze leefden samen even vrolijk als voorheen.
En toen kwam er een vertegenwoordiger in de zaak die eens per halfjaar met een rijtuig vol koffers langs de manufactuurzaken ging om daar zijn handel te tonen. En omdat de enige textielzaak in de buurt van hun herberg stond stalde hij daar het paard, gaf de koetsier tot de namiddag vrijaf en bestelde een middagmaal.

Van die man hoorde Lieuwe op een keer over een drukke loopzaak in Amsterdam die te koop moest zijn. Niet het huis zelf, dat moest men huren.
„Is dat niks voor u?" vroeg de man. „Veel minder rompslomp en een goed bestaan."
„Waarom gaat die kerel er dan uit?" vroeg Lieuwe.
„Hij is al wat ouder. Het wordt hem te druk," vertelde de vertegenwoordiger door wat hij zelf had gehoord. „Denk er eens over, man. Hier is het adres."
Geen haar op mijn hoofd dat er over denkt, meende Lieuwe. Maar toch stak hij het papier in zijn vestzak.
Wie er wel oren naar had was Jansje. Samen met een heel jong keukenhulpje en Jaap Bras redde ze het wel, maar er kwam in deze grote behuizing nooit een eind aan het werk. En ze was de bruiloften, kermissen, gastdagen en vergaderingen zat. Meer dan zat.
En dan . . . Amsterdam. Daar ging immers de wereld voor je open. Ze waren er samen tweemaal geweest toen oom nog leefde. Later nooit meer. En ze zaten hier nu al meer dan tien jaar.
„Schrijf r's naar die mense," raadde ze aan. „Gaan er d'rs heen. Kijke kost niks."
„Je hewwe gelijk," vond Lieuwe nu ook. „Als wij geschikt aan wat aars kome kenne, is het wel tijd dat we deze zaak verkope. Over een paar jaar wille ze de kolfbaan niet meer. Zolang die nog zo goed in de verf zit als nou lukt het nog wel."
„Wij hadde eigelijk nou allang het geld voor een nieuwe hewwe moeten," bedacht Jansje. „Als je bedenke dat tante nog altijd leve ken van wat zij en oom in deze herberg verdiend hewwe . . ."
„Ja . . . het is de tijdgeest . . ." oordeelde Lieuwe. „Ik weet wel dat het hier vroeger drukker was met koetsiers en paarde en voetgangers. Die fietse doen geen goed aan ons bestaan. De mense gaan liever de hort op als dat ze hun cente in een café vertere. Misschien dat het wel weer d'rs aars wordt, maar daar hewwe wij niks aan. En wat oom en tante aangaat . . . die mense leefde heel aars dan wij. Ze zate op hullie geld en wij late het liever rolle."
Hij schreef naar Amsterdam, kreeg bericht terug en daarna reisden Jansje en hij naar de straat waar het café stond. Een gezellig zaakje dat hun wel aanstond. De klanten liepen er in en

uit en maakten weinig drukte, slechts een enkele ging een poos aan een der tafeltjes zitten.
„Wat voor nut hewwe die dan?" vroeg Jansje.
„'s Avonds, voor de kaartclub," vertelde de baas. „Dat geeft twee drukke avonden per week."
Het stond hen zo aan dat ze direct na de verkoop van hun herberg, het café overnamen. Niet dat het eerste heel vlot ging, er was maar één koper en ze ontvingen minder voor de zaak dan ze zelf hadden betaald. De nering in de café's liep in de dorpen overal iets terug. Toch ... toen alles verrekend was bleef er voor hen nog een aardig bedrag over om mee te beginnen. Het geld van moeder Hiltje? ... Och, dat was toch Jansjes erfdeel. Waarom zouden ze dan aan terugbetaling beginnen? Wie weet, misschien hadden ze het zelf nog nodig.
Ze hàdden het nodig, want nog geen halfjaar later werd in hun straat de hele weg opgebroken en was meteen uit hun zaak de loop weg. En van het weinige dat wel bleef konden ze met hun twee kinderen niet leven. Nu bleek meteen waarom het café zo geschikt kon worden overgenomen. De vorige kastelein had dit zien aankomen en nam tijdig de vlucht.
Maar de kinderen en zijzelf soms ook. Er was zoveel te zien en te beleven dat de dagen vlogen. En eens werd de straat immers weer gewoon. Dat werd die ook. Maar de loopklanten die een ander café hadden gezocht bleven daar. De meeste tenminste wel.
Na twee jaar gaf Lieuwe zich verloren en hunkerde Jansje naar gras, bomen en sloten. En dit bekenden ze allebei dan ook vlot toen Lieuwes broer hem kwam opzoeken met het bericht dat hun tante stervende was.
„Als tante sterft is haar huisje voor mij," schoot Lieuwe te binnen. „Maar geld zal er weinig meer weze."
„Wel man, dan doen je dit van de hand en je komt toch weer bij ons," zei zijn broer.
„Jij prate niet slecht," spotte Lieuwe. „Maar waar moete we van leve?"
Ja waarvan? Jansje keek naar zijn handen. Veel werk had Lieuwe daar nog niet mee gedaan, ze leken er haar ook niet geschikt voor. Te smal, te mooi. Maar zonder al te ruwe arbeid moest je toch ook aan de kost kunnen komen.
„Er komt bij ons in de buurt strakkies wel een baantje vrij,"

schoot zijn broer nu in gedachten. „De geldrondbrenger van de markt scheidt er mee uit."
„Maar dat geeft geen bestaan," wist Lieuwe nog.
„Dat niet. Maar het is toch een begin, man. En je zal zien, er kome vanzelf meer baantjes bij. Als jij werkelijk graag terug wille, dan maakte ik er maar gauw werk van. Er is nog geen aar annomen."
Ik doen het, nam Lieuwe zich voor. Dit hier wordt toch niks meer. Met wat de overname hier opbrengt redde we het wel weer een tijdje.
Als enige sollicitant kreeg Lieuwe het begeerde baantje. En hij kreeg meer, want naast haar huisje liet zijn tante hem ook nog een kleine som geld na. En met dat en de opbrengst van het café voelde hij zich weer rijk en kocht alvast eerst maar een nieuwe fiets.
„Voor mijn werk," zoals hij zei.
„Dat was niet nodig weest," bemoeide Jansje zich voor de eerste maal met zijn uitgaven. „Je ouwe was nog knap genoeg om op weg te gaan. We moete een beetje zuinig doen 'oor."
„Oh, dat doen we wel als alles op is," plaagde hij luchtig.
„Nee, dat doen we niet," zei ze beslist en toen Lieuwe haar verwonderd aankeek ontdekte hij iets in haar gezicht dat hem aan haar vader herinnerde. „Ik heb een plan, weet je. Ik wil van het voorkamertje een winkel make late."
„Een winkel? Waarmee?" spotte hij.
„Met wol. Alle gangbare kleure wol. En verder de spulle die voor naaien en borduren nodig benne."
„En dat hier in het dorp?"
„Precies. Hier in het dorp. Ik zien daar wat in als bijverdienste."
„Als je maar niet denke dat ik hier en daar nabestelde knotte wol heenbreng," stoof hij op.
„Geen zorg, man. Dat doen de kindere wel. Zeg eerst maar dat je het goed vindt."
„Dat moet wel èè." Hij lachte alweer. Zoals hij om alles lachte wat het leven hem tot nu toe had gebracht.
Iets wat de reden was waarom ze zo innig veel van hem hield. Om zijn knappe uiterlijk, zijn mooie stem en om zijn constante vrolijkheid. „Maar hoe kom je op het idee?" wou hij nog weten.
„Het komt van een reiziger in ondergoed die toe we nog in

de herberg woonden altijd biefstuk ete wou. Weet je nog?"
Lieuwe knikte. Hij herinnerde zich die man.
„Nou, die vond het altijd jammer dat hier niet zo'n winkel was. Hij gaf die een beste kans. En nou wil ik die kans r's grijpe."
Het gebeurde. En al moesten ze zich met de woonruimte bekrimpen, elk kreeg toch zijn eigen plekje in het huis. Na enig afwachten begon het zaakje te lopen. De een vertelde het de ander, Jansje stalde uit wat er was en bestelde wat ze nog niet had. Op aandrang van haar vader legde ze meteen een eigen boekhouding aan en beheerde de kas zelf. Toen Lieuwe er na een jaar nog een paar baantjes bijkreeg, redden ze het weer. Ze spaarden zelfs. Want ervaring had hun geleerd dat, al maakt geld niet gelukkig, het je toch wel veel gemak geven kan.
Zo groeiden de kinderen op. IJtje was een blij meisje, even stralend en vrolijk als haar vader, iets wat Freek met zijn veel stuggere aard moeilijk verdragen kon. Doch wat die ook deed of zei, IJtje bleef wie ze was. Ze waren blond van uiterlijk en knap om te zien.
Zodra Freek van school kwam ging hij bij een timmerman in de leer als krullenjongen en bezocht gedurende de wintermaanden 's avonds een ambachtsschool. En toen het weer lente werd werkte hij mee aan de bouw van een nieuwe kolfbaan achter de kamer waarin hij geboren was.
„Hoe bestaat het," zei Lieuwe verbaasd toen hij van die plannen hoorde. „Waar haalt die kerel het geld vandaan? Ik begrijp er niks van. Het is daar nog niks drukker als vroeger bij ons."
Jansje begreep het wel. Maar ze zweeg. De tegenwoordige kastelein werkte iedere zomer van mei tot november bij tuinders en boeren als los arbeider terwijl zijn vrouw en Jaap Bras voor het café zorgden. Jaap, die zich bij hen al bijzonder handig had getoond, deed nu dienst als knecht en meid door elkaar. En de mensen leefden verder heel sober. En dus maakten zij wèl winst. En bouwden zij wèl een kolfbaan.
En toch voelde Jansje geen spijt. Hier, in dit kleine huis ernaast, was ze even gelukkig als altijd. Als zij haar Lieuwe maar had. De kinderen zouden weggaan en dat zou haar spijten, maar Lieuwe was nog steeds haar liefde, haar geluk, haar alles.
Vader Frederik had lelijk misgekeken toen hij haar hun toekomst heel anders voorspelde.

Elfde hoofdstuk

In de maanden mei en juni beluisterde Fred Bootsman nauwlettend de weersverwachting voor de weekenden.
Hij wilde Ria's familie zijn huis en dorp laten zien in volle zonneschijn. Zelf was hij daar iedere vrijdagavond heengegaan en tot de zaterdagavond gebleven. Soms zorgde dan Margriet voor hem, doch meestentijds nuttigde hij alleen de boterhammen die hij uit zijn kosthuis meekreeg en dronk daar wat water bij. Voor de zaterdagse maaltijd had hij van Albert Prins en Dora een doorlopende uitnodiging gekregen zodat hij, wat dat betrof, ook niets tekort kwam. Vandaar ging hij in de namiddag naar huis om de verdere avond en ook de zondag met Ria en haar familie door te brengen. Prettige uren in een gezellig huis bij opgewekte mensen. Mee naar zijn huis waren ze nog niet geweest. Fred wachtte op een stralende, windstille zondag.
Het was al eind juni toen die eindelijk kwam en ze met zijn allen naar het dorp reden, want ook Geert en Luus gingen mee. Dat gebeurde kort na het middaguur, toen het nog betrekkelijk stil was op de wegen en iedereen van de rit genieten kon. Vader en moeder Berger bij hen in de auto terwijl Geert en Luus volgden. Hun kinderen hadden niet meegewild en vermaakten zich in Amsterdam.
Ik zet straks de tuinmeubelen van oom Klaas in het knusse hoekje achter de keuken, nam Fred zich voor. Vandaar hebben we een mooi uitzicht over het grasveld en de tuin. Van dat plekje ga ik het volgend jaar beslist een terras maken. En dat rotstuintje opzij van het huis wil ik ook uitbreiden. Meer planten hoeven er niet dadelijk bij. Sedum, dwerganjers, engels gras, primula en edelweis . . . het lijkt mij wel genoeg. De rand van gipskruid die eromheen ligt, vult dan dat nieuwe stukje ook wel op. Ik hoop dat nu de anemonen bij de achtermuur al zijn gaan bloeien en . . . wie weet, misschien doen de trollius het ook. En dan de pyretrum en de liatris . . . Wie had ooit gedacht dat ik, dank zij mijn herinneringen aan oom Klaas en de woorden

van Albert Prins die ze allemaal terugriepen, nog lust in tuinieren zou krijgen. Ja, Ria zal er van opzien. Ze trof het bij haar eerste bezoek hier ook zo slecht als maar kon. Maar nou . . . En opgewekt reed hij verder naar de plek waar hij hoopte een blijvend geluk te vinden.
Dicht naast hem zittend peinsde Ria over heel andere zaken. Want gister had mijnheer, die nu zo'n beetje haar baas was, gevraagd of ze van plan was om spoedig te gaan trouwen. Ze had toen maar een ontwijkend antwoord gegeven. Dat ze het nog niet wist; dat het nog van zoveel dingen afhing. En waarom mijnheer dat vroeg. En toen vertelde hij dat mevrouw een ongeneeslijke ziekte had die haar langzaam sloopte. Ondanks dat had ze nog een intense belangstelling voor de zaak die zijzelf had opgebouwd. En die hij zelf ook niet graag meer zou willen missen. Om dit en ook omdat die langzamerhand bij zijn leven was gaan horen. Maar de kans voor dat behoud lag grotendeels in haar, Ria's handen. Zij wist alles, ze had er van school af aan in gewerkt. Ze wist er nu bijna evenveel van als mevrouw zelf, dat hadden de laatste maanden hem wel bewezen. Geen ander kon doen wat zij deed.
„Maar als ik trouw kunt u toch een echte bedrijfsleidster nemen," stelde ze voor. „In ons vak zullen er toch ook zulke krachten wel zijn."
„Dat zijn er zeker," wist hij. „Maar . . . andere heren andere wetten. En dat wil ik beslist niet. Zoals het nu gaat moet het voorlopig blijven. Een gezonde zaak die meegroeit met de tijd. En als jij wilt blijven dan zal dat zo zijn."
„En als ik naderhand toch trouw? We zijn al een hele poos verloofd . . ."
„Dan zie ik wel verder. Het gaat mij om deze eerste tijd. Om de rust voor mijn vrouw en daardoor ook die van mezelf."
Het waren wel woorden naar haar hart geweest. En zij hoorde ze nog steeds. Als een man als mijnheer Jager dit zei, dan deed dat je iets. Natuurlijk bleef ze zolang mevrouw nog leefde. Je kon zo'n aardige man niet zomaar in de steek laten. Dit zou Fred ook wel begrijpen. En anders bracht ze hem dat begrip wel geleidelijk bij. En dan . . . stel je eens voor dat mijnheer dan toch de zaak verkopen wou? Stel je dat eens voor! Een mens mocht toch vooruit zien, nietwaar? Dat was toch geen schande

nu de feiten zo lagen. Als Fred dan zijn huis met inhoud had verkocht en ze deden hun spaargeld erbij . . .
Ria rekende al en ze keek Fred stralend aan toen die zei:
„Wat is mijn meisje stil."
„Maar jij zegt ook niet alles tegelijk," troefde ze vrolijk terug. „Ik peinsde over onze toekomst."
„En ik over ons huis."
„Jouw huis!"
„Goed. Mijn huis dan."
En toen lachten ze elkaar even toe.
Mevrouw Berger, dicht achter hen gezeten, zag dit en het maakte haar blij. Ze mocht Fred graag en was tevreden dat Ria, met haar dominerend karakter, juist hem had gekozen. Met een andere verloofde zou dit vast vaak tot conflicten en zelfs tot ruzie hebben geleid. Met Fred echter nooit. Die hoorde haar rustig aan en deed meestal wel, maar soms ook niet wat zij wenste; doch dan op zo'n manier dat zij het wel nemen moest, hoe hoog haar dit ook stond. Alleen vond ze het wel eens een beetje jammer dat Ria, die toch een schoonheid was en die straks in haar vak bijna aan een top stond, dat die bij de keuze van een man niet iets hoger had gegrepen. Doch hoe meer ze Fred leerde kennen hoe minder deze gedachte in haar opkwam. Het was goed zoals het was.
Nu, met dit huis waar Fred zo blij mee was, zou Ria ook haar zin wel weer krijgen. Gelukkig maar, want wat moesten die jongelui naderhand met twee huizen doen. Binnenkort zou hun eindelijk in Amsterdam wel eens een woning worden toegewezen die aan Ria's wensen voldeed en wat moesten ze dan met dit buitenhuis. Niks waard.
Vader Berger peinsde ook. Doch weer heel anders. Die hield vroeger veel van vissen, een liefhebberij die in zijn huwelijk verloren was gegaan. Maar nu Fred in dat dorp een huis had met misschien een lekker viswatertje in de buurt . . . De jongen moest alles wat erin stond en waarde had verkopen, maar de woning zelf, die moest ie houden voor tweede huis in de weekenden en voor de vakanties. Dan konden de vrouwen daarin wonen terwijl zij samen gingen vissen. Wie weet, misschien deed Geert dan ook wel mee. Werd dat de jongelui te duur dan hielp hij hen wel met de kosten.

„Hier begint het dorp," waarschuwde Fred nu. Ze keken opzij en rechtuit doch zagen eerst weinig moois. Gewoon, hier en daar een huis en wat jonge bomen. Maar toen opeens was daar een fraaie boerderij met daarvoor een paar prachtige oude bomen wier kruinen zich strekten tot over de weg. En verderop nog een en weer een.
„Dit is het huis van Albert Prins," wees hij dan. „En daar verder, na die grote hoeve, staat het mijne."
Ze vonden het aardig en ook Geert en Luus stemden er mee in, doch wat hij van hun mening verwacht had bleef uit. Nu begreep hij pas dat zijn herinneringen aan elke vierkante meter van dit geheel hem drongen het anders te zien. Hij ontsloot de deur en liet hen binnen; zichzelf in spanning afvragend of Margriet zijn eergister per telefoon opgegeven verzoekjes had uitgevoerd. Alles klaar voor de thee en voor later een kopje koffie. Snoep en koekjes aanwezig. Ze hadden er samen om gelachen toen ze na elk van zijn vragen telkens heel gedwee antwoordde met dezelfde twee woorden: „Ja baas."
Ja, Margriet was een leuke meid. Vrolijk, betrouwbaar en gezellig. Ze flirtte nooit, doch was echt een kameraad waar je van op aan kon.
Alles werd bekeken, tot zelfs de inhoud van de linnenkast waarin veel van tante Zwaantjes uitzet nog aanwezig bleek, evenals de sieraden die ze op zon- en feestdagen droeg. Ria en Luus hadden plezier over het ouderwetse ondergoed, doch moeder Berger toonde respect voor het geduld en de zorg waarmee dit eens was vervaardigd.
„Daar kunnen wij nog een voorbeeld aan nemen," vond ze.
Luus lachte haar uit. „Dat gepriegel? Wij hebben wel wat beters te doen."
„Ja, de tijden zijn enorm veranderd," vond Ria. „Hoelang geleden is dit hemd gemaakt, denkt u?"
Ze hield het haar moeder voor die het ook niet wist en riep dan Fred te hulp die aan de mannen zijn meubelen toonde. Hij berekende snel de jaren tussen tante Zwaantjes jeugd en nu en kwam tot ongeveer zeventig jaar.
„Maar het kan nog wel ouder zijn," vermoedde hij. „Tante erfde weer heel wat van haar ouders."
Ze dronken thee op het terras zoals hij zich dat had voorgesteld,

wandelden daarna het erf over naar het groententuintje en keken met iets van ontzag naar alles wat bij en om de ernaast staande boerderij hoorde en naar het erbij behorende land dat Fred hun wees.
„En dat alles is eens van een van mijn voorvaderen geweest," voegde hij er lachend aan toe.
Daarna zaten ze nog een poos achter het huis en wachtten op de koffie die Ria bezig was te zetten.
„Hoeveel verwacht je dat dit zaakje opbrengen zal?" vroeg Geert nu. „Tezamen dan, hoor. Met de hele inhoud erbij zoals serviezen en meubelen en zo meer."
„Nou, dat zal niet weinig zijn," meende vader Berger. „Alles wat hierin staat is tegenwoordig erg in trek. Alleen dat schat ik al op . . ."
„Dat hoeft niet vader," hield Fred dit tegen. „Ik verkoop niets. Ik wil hier gaan wonen."
„Kom Fred, wees toch wijzer. Dat kan toch niet. En Ria dan? Stel dat die wil blijven werken," protesteerde haar moeder.
„Dan kan ze met mij heen en terug rijden," zei hij kalm. „Ik werk toch ook in Amsterdam. En anders kan ze hier in de buurt misschien wel werk vinden."
„Hier? Dat doet Ria nooit."
„Enfin, dat zijn jullie zaken," hield Geert een verdere discussie tegen. „Komt tijd, komt raad. Voorlopig heb je er een fijn weekend-huis aan."
„Zo is het," gaf Fred toe en hij keek naar het al iets dalende zonlicht dat door de boomkruinen op het grasveld viel. Het gras dat door Albert Prins zo keurig werd gemaaid dat het zich als een groen vlak voor hen uitspreidde.
De koffie kwam, heet, sterk en geurig met voor ieder een spritskrans.
„Zou ik die wel . . ." weifelde Ria.
„Toe, voor een keertje," vleide Fred.
Ze glimlachten elkaar toe. Ria zag er zo beeldig uit in het rosse pakje dat passend afstak tegen haar donkere haar en ogen. Zijn mooie meisje.
Ze genoten van hun koffie en praatten nog wat. De dames over de inhoud der kasten, de mannen over een mogelijkheid om hier in de buurt te komen vissen.

„Ik zal eens informeren," beloofde Fred. „Maar hier in het dorp heb ik daar nog weinig over gehoord."
„Hoe moet het met de afwas?" vroeg Luus toen het tijd werd om terug te gaan. „Doen we het samen even?"
„Niks daarvan," besliste Fred. „Daar zorgt Margriet Prins wel voor. Die zet dan meteen alles weer op zijn plaats."
„Dat kunnen wij toch ook wel," beweerde Ria. „Dat hoeft zij toch niet te doen." Dit laatste klonk een klein beetje kattig.
„Hoeven niet," suste Fred. „Maar jullie drieën zijn vandaag te mooi om te werken. Laat het nu maar zo."
Ze deed het. De mannen zetten de tuinmeubelen weer in de bijkeuken terug, het koffieblad werd naast de vuile theeboel op de aanrecht geschoven, Fred keek alles nog even na en sloot dan zijn huis af. Deze dag was weer voorbij. En die bracht hem niet wat hij er van had verwacht. Deze mensen, zelfs Ria, zagen niet wat hij zag. Zelfs dit beeld van de langzaam vallende avond deed hen weinig. Ze betreurden alleen het vergeten van hun zonnebril.
Ik heb de verkeerde familie meegenomen, bedacht hij spijtig. Mijn kostbaas en zijn vrouw zouden hier meer van hebben genoten. En velen van mijn collega's ook. Dat Geert en Luus het bij mij heel gewoon vinden, dat spreekt vanzelf; die wonen al buiten. Maar vader en moeder? En Ria . . . Ja, die vooral. Waarom heeft zij voor mijn huis niet een klein prijzend woordje? Nou heb ik net het idee of ik tegenover haar iets heb goed te maken. En daarom vroeg hij even later losweg:
„Zeg, wat vinden jullie van een klein etentje onderweg? Dan hebben de dames daar straks geen drukte aan. Ik trakteer."
„Op je erfenis?" plaagde mevrouw.
„Precies," gaf hij toe.
„Wel, zoals ik het zie kan je dat ook wel doen."
Dit is een kans, dacht Fred.
„Zegt u eens eerlijk, hoe vindt u het?"
„Och, wel aardig. En een echte meevaller."
„Maar om te wonen?"
„Nooit en nooit, mijn jongen. Geef mij de stad maar."
„En mij!" viel Ria haar ongevraagd bij. „Nu zag u het daar bij mooi weer, maar dan moet u er eens zijn als het regent."
„Mij lijkt het niet zo gek," kwam vader Berger nu uit de hoek.

„Je hebt daar ruimte in en om je woning. Je kunt je eigen erf maaien, je kunt wat tuinieren, lekker buiten zitten zoals vanmiddag, een viswatertje zoeken, je eigen auto onder dak brengen. Nee, ik liet er de stad graag voor schieten."
„Och, mannenpraat," beet zijn vrouw terug. „Voor ons vrouwen is het toch heel anders. En voor Ria is het niet te doen."
Die zit, dacht Fred. Nou niks meer zeggen, Frederik, vermaanhij zichzelf. Het moet nog rijpen, joh. Nou eerst alles maar een poosje stil laten betijen.
Na een seintje van hem om te stoppen overlegden ze met Luus en Geert waar zou worden gegeten en of ze mee aan tafel gingen. Die namen het gretig aan. Hun kinderen redden zich nog wel zolang, die verwachtten hen nog niet eens.
Het werd een prettige maaltijd. Over het huis werd niet meer gesproken, al zweefde dat als een lastig insekt bij Fred en Ria nu en dan door hun gedachten. Doch bij de gezellige sfeer die de familie Berger om zich heen wist te scheppen was dat niet hinderlijk.
Ook mijnheer Berger liet het dorp nog steeds niet helemaal los. Voor zijn ogen stond nog steeds de boerderij naast het huis van Fred. Hij zag weer het puntdak, de ruimte beneden, het erf en de schuren en dan de vele bunders land die erbij hoorden. Tenslotte vroeg hij:
„Zeg Fred, hoe heet die boer die naast jou woont?"
„Mijn buurman? O, die heet heel doodgewoon Dekker."
„Ken je hem?"
„Nee, nog niet. Met de vorige eigenaars zou dat wel het geval zijn. Eens woonde daar een van mijn grootvaders. Die heette Frederik Mantel. Ik heb wel zijn naam geërfd maar niet zijn geld."
„En bezat die dat alles?"
„Hij had alles."
Mijnheer Berger zuchtte heel diep.
„Wat zal die vent gelukkig geweest zijn, zeg."

Twaalfde hoofdstuk

Was Frederik Mantel werkelijk zo gelukkig?
Soms wel. Als hij aan zoon Cor dacht. En aan diens mooie blonde kinderen. Of aan zijn bedrijf en de dadelijk goed florerende kaasfabriek waar ook hij aandeel in had. Of aan Hiltje, al sukkelde die af en toe een beetje met haar gezondheid. Maar vooral als Klaasje bij hem was. Een rustig, intelligent kind met donkerblauwe ogen, roodblond haar en een tengere gestalte. Maar altijd gezond en blij. Wat Frederik nog nooit met zijn kinderen had gedaan, dat deed hij nu. Hij speelde met deze jongen en was blij als die ervan genoot.
Maar zijn dochters gaven hem zorgen. Ten eerste Jansje met die kerel van haar. Dat verkwistende stel dat maar raak leefde of het geld niet op kon. Die maar uitgingen op hun fietsen . . . ja, Jansje ook . . . en de herberg aan hun personeel overlieten. Nee, hij had nooit begrip voor dat stel gehad en hij had het nog niet. Wel had ie zichzelf aan zijn woord gehouden en er tegenover hen nooit iets van gezegd. Ze moesten hun piek immers zelf maar schuren? Nou, ze deden het . . . Blij en vrolijk. En daarom kon je nooit een hekel aan die twee krijgen. Als ze je zo zonnig tegemoetkwamen, net alsof ze de honderdduizend bezaten, dan praatte je maar gewoon terug, al vrat het soms in je hart. En dan was er dat met Johanna. Goed . . . , het meisje was niet mooi, maar dat er nou nooit een echte vrijer op haar afkwam, dat deed je zeer.
Was er een bruiloft in de familie waarop ook zij was uitgenodigd en daar dus zelf een vrijer voor moest vragen, dan duurde het meestal wel een paar weken eer ze een jongen vond die het aannam. De anderen die ze uitnodigde schreven een correct briefje dat ze tot hun spijt juist die dagen verhinderd waren en slechts een enkele schreef waardoor. Gelukkig was er altijd nog een gevonden die wel met haar naar een bruiloft wilde gaan en die dan twee zondagen later te koffieophalen kwam. Stipt om halfnegen kwam zo'n jongen dan binnen; je praatte met hem,

Hiltje bood een sigaar aan, Johanna schonk koffie in, je praatte wat over het werk en het dagelijkse doen, tot het bedtijd werd en de jongelui konden gaan opzitten. Tot zover was alles dan goed. Maar daarna kwam zo'n jongen niet meer. En op de meeste kermissen die ze bezocht werd ze wel eens voor een dans, maar bijna nooit voor de hele avond gevraagd. En dit had van het eens zo vrolijke kind een stuurs meisje gemaakt dat soms zelfs van haar broertje niets verdroeg.
En deze hele toestand strookte slecht met zijn plannen om stil te gaan leven in een nieuw te bouwen woning op het erf naast de boerderij. En hij was toch niet van plan om daarmee te wachten tot Klaas volwassen, getrouwd en zelf boer zou zijn. Ook al niet om Hiltje. Nee, als zijn plan had kunnen doorgaan zat Johanna nu op de plaats en hijzelf in een keurig renteniershuis.
Als het zo nog een paar jaar voortduurde, dan deed hij maar het beste om de hele zaak hier te verhuren en toch hiernaast te gaan wonen met de jongen. Johanna moest dan maar ergens de leiding van een huishouding op zich nemen. Dat was voor haar beter dan thuis zo'n beetje te wrijven en te poetsen en te piekeren over iets dat haar niet gegund was te beleven.
Nee, met zijn dochters liep het heel anders dan hij eens had gehoopt en verwacht.
En toen, op zomaar een zondagavond in september, ze woonden nog op de twee koestallen die het zomerverblijf vormden, kregen ze laat volk aan de deur. Nooit zou hij het gretige gebaar vergeten waarmee Johanna haar gezicht naar de bezoeker wendde toen die binnen de lichtkring kwam. Omdat ze, nu het kaasmaken aan kant was, geen inwonende meid meer hadden, kon het een vrijer voor haar zijn. Een kennis of een buurman kwam zo laat niet meer.
Het was Jan Bierhaalder, iets breder, wat ouder, maar verder nog vrijwel gelijk aan toen hij om Jansje kwam. Hij kreeg het gewone onthaal, alleen zochten Johanna's ogen een paar maal de zijne met een vragende blik die Jan beantwoordde met een stille glimlach. Het zat ditmaal goed, wist hij. Dit jonge ding zou hem niet wegsturen. Hij had zijn plannen echter goed geregeld. Als zij het niet deed zou hij lachend voorwenden dat hij even aankwam om te horen of Frederik soms nog een

paar gaarvaten en een doorhaalder voor hem te koop had. Maar Johanna dacht er niet aan zich deze kans te laten ontglippen. Al was Jan dan niet zo jong meer, hij zou wel al tegen de dertig zijn, hij was een knappe man. Ze herinnerde zich nog heel goed dat Jansje hem eens een blauwtje had laten lopen, tot ergernis van vader. Nou, dat hoefde vader zich vanavond over haar niet te doen. Zij was blij, meer dan blij. Jan was voor haar, helemaal alleen voor haar, hierheen gekomen.
„Hoe kwam je?" vroeg Frederik nu. „Met paard en kar?"
„Nee, op de fiets. De kar is alleen nog voor vader en moeder."
„Je moeder is toch overleden?" wist Hiltje nog.
„Dat is zo. Maar mijn vader is weer hertrouwd."
„O ja," schoot Frederik in gedachten. „Heeft de vrouw geen dochter van 'r eerste man?"
„Jazeker, ik heb een stiefzuster. En zij en d'r man viere aanstonds, end oktober, hullie koperen feest. Ik heb dus een bruiloft in 't verschiet."
En ik ook, juichte het in Johanna. Nou word ik zelf ook r's echt voor een bruiloft vraagd. En wat voor een, want het zal er bij die familie wel op rooie.
Later, samen op de koegang, vroeg Jan haar dan ook en na haar haastig uitgesproken toestemming praatten ze nog wat over algemene dingen, voor Jan haar mond nam in een kus zoals zij er nog nooit een ervaren had. Want Jan had al heel wat liefdes versleten, ondanks het feit dat hij Jansje slecht vergeten kon. Daarom verdwenen ze allemaal even snel als ze opkwamen. Maar hij hoopte dat er tussen dit meisje en hemzelf iets blijvends zou groeien. Het was meer dan tijd dat hij trouwde.
Nu vroeg hij naar Jansje en Johanna vertelde over haar leven met Lieuwe in de herberg. En dat haar vader daar weinig toekomst meer in zag.
„Ik evenmin," zei Jan. „Die vent van haar, die Lieuwe, dat is een windhapper. Ik had je zuster voor wijzer bekeken. Als ze die zaak niet houwe kenne wat moete ze dan?"
Johanna wist het ook niet en kroop weer weg in zijn armen, die haar opnieuw omvatten als was ze iets heel kostbaars dat hij niet missen wou. Zij, die onknappe Johanna Mantel, waar geen man ooit naar omkeek.

„Ik kom de volgende zondag weer," beloofde Jan bij het afscheid. „En dan neem ik een voordracht mee die we samen doen kenne. Voel jij daar wat voor?"
„Ik wel," zei Johanna blij. „Moete we er bij zinge ook?"
„Ook dat," zuchtte Jan. „Ik kan dat ding van een vriend lene die er altijd een geweldig succes mee heb, maar zinge kan ik niet. En er zitte twee liedjes in."
„Neem toch maar mee," drong Johanna aan. „Ik sleep je er wel door."
„Dat is lief van je," nam hij dit aan en vertrok na nog een laatste omhelzing.
Zachtjes fluitend reed hij daarna door de nacht. Hij was hier met weinig verwachting heen gegaan omdat zijn stiefzuster er op aandrong. Zij had Johanna deze zomer op een kermis gezien toen die bij haar broer Cor logeerde en het meisje stond haar wel aan. Als ze lachte had ze zo'n echt blij gezicht.
„Probeer het r's," hield ze aan. „Als ze het aanneemt heb jij een bruiloftmeid. En staan jullie mekaar niet aan . . . wel . . . de pret aan 't zij, de liefde voorbij."
Maar als het zo bleef tussen hen . . .
Er volgde een drukke tijd voor Johanna, want Hiltje stond erop dat ze geheel in het nieuw naar die bruiloft ging. En dat Tine, de vrouw van broer Cor, haar bij de keus daarvan helpen zou.
„Je gaan daar dan maar een dag of drie heen te warskip," vond ze. „Vader brengt je er wel heen. En je neme maar wat Tine je aanraadt."
En zo stond Johanna, na nog een heerlijke zondagavond met Jan te hebben doorleefd, dan op een middag in de stad in een winkel en keek toe hoe haar schoonzuster kleurige stoffen in haar handen nam en die samenplooide tot een wijde toef, zodat de kleuren opbloeiden tussen haar vingers.
Tenslotte viel haar keuze op een bijzonder soort blauw.
„Dat staat mooi bij je blonde haar," oordeelde Tine. „En we kunnen hier meteen een model uitkieze, want het atelier is boven."
Johanna vond dit allemaal heerlijk. Vooral toen er later nog een hoed van parelgrijs stro werd bijgekocht en schoentjes met lakneuzen die bij iedere stap onder de zoom van haar rok zouden uittippen.

Ik zal mooi weze, dacht ze blij. Al is mijn gezicht het dan niet, de rest is het wel.
Het feest werd een succes en hun voordracht bovenal. Wat Jan in mimiek en stem tekort kwam, vulde Johanna zo rijk aan dat men zelfs om een herhaling vroeg.
Maar toen wachtte Jan al niet meer tot zondagavond om te komen. Er was zelfs een dag dat hij al tegen melkerstijd verscheen en in een geleende kiel en broek Frederik en de arbeider meehielp.
„Wat zeg je ervan?" vroeg Frederik later toen het melken gebeurd was, doch de koeien nog in het bon aan de palen stonden.
Jan keurde ze een voor een.
„Best vee," was zijn conclusie. „Ik wou dat mijn vader ze ook zo had. De ouwe heer is mijn wel d'rs wat te zuinig in het bedrijf. Een verkeerde zuinigheid. Daarom rooie we het soms niet met mekaar."
Frederik toonde Jan die dag meer dan enkel zijn vee. Hij liet hem het hele huis zien en toen ze aan het eind van die dag op de dors kwamen werd Jan even stil. Hij stond bij de lege paardenstallen en keek omhoog, waar boven de berg vol prachtig gewonnen hooi nog juist de nok van het hoge puntdak zichtbaar was. En hij zag daar een hooihark en schudder van het nieuwste model, een tilbury op gummibanden en een heel mooie glazenwagen; de laatste twee keurig in blauwe hoezen gepakt.
„Wat een plaats," zuchtte hij.
„Dat gaat wel èè," stemde Frederik hiermee in. „Toch wil ik hem, als Johanna trouwe gaat, wel verhure."
„En wat wil u dan zelf? Renteniere?"
„Precies. Ik vind dat wij daar aan toe benne. Voele jouw ouwelui daar nog niks voor," polste Frederik voorzichtig. Stel je d'rs voor dat Jan en zijn dochter . . .
„Vooreerst nog wel niet. En dan . . . mijn stiefmoeder heb nog een zoon van achttien die naderhand ook graag boere wil. Het is thuis een beetje moeilijk worren."
Dat gaat goed, dacht Frederik. Het gaat helegaar best. Als deze verkering nou maar aanblijft.
Het bleef aan. Op sinterklaasavond gaven de jongelui elkaar naast andere cadeaus ook een verlovingsring. Frederik kreeg

haast. Hij wist al jaren dat hij voor Klaas zijn plaats niet hoefde te bewaren. Die jongen was echt een boekenwurm, zoals Hiltje zei. Die moest straks in de stad op school om door te leren. Wie weet wat zo'n knaap nog zou bereiken.
En weer liep hij zo af en toe zijn erf naast de boerderij over om precies de plek te bepalen waar het renteniershuis moest komen.
„We trouwe mei over een jaar," had Jan bepaald.
Frederik vond dat best. Hij zou er met zijn bedrijf rekening mee houden, want zodra hij tegenover Jan iets van zijn eigen plannen losliet, haakte die daar vlot op in. Als je zo'n mooie plaats met zulk best land voor een redelijke prijs kon huren – en dit laatste hoopte hij stellig – dan was je kost gekocht. Het moest al gek gaan als je het dan niet redden kon. Dus maakte Johanna eindelijk haar uitzet in orde en ze droomde vooruit over haar leven hier als boerin.
Nu haar diep verborgen jaloezie op Jansje over haar gelukkig leven met de charmante Lieuwe voorbij was, had ze met haar zuster te doen. Het scheen hun daar in Amsterdam niet bepaald goed te gaan. Dat had Cor bij zijn laatste bezoek aan hen al vlug ontdekt.
Die Cor . . . Met Tine samen ging hij daar dikwijls zomaar heen. Soms naar de schouwburg, maar ook vaak naar de cinematograaf waar je levende beelden kon zien op een groot wit laken. En ze hadden daar ook naar een automobiel gekeken, want als die dingen eens wat minder duur waren dan wou Cor er beslist een hebben. Dan verkocht hij zijn mooie paard en kar en ging in zo'n ding rijden. Net alsof dat zomaar ging. De helft van de tijd stond je dan aan de kant van de weg omdat dat lawaaiding het niet deed. En dan al het stof dat ie opjoeg . . .
Frederik zag er ook niks in. Geld wegsmijten, dat was het. Wat was er meer betrouwbaar dan een paard en een wagen als je ergens heen wou. En dan de spoortrein vanzelf, al zag hij daar eerst ook ongelukken van komen. Maar nee, dat was mee gevallen. Ze bleven op de rails en reden op de klok. Hij had er zelf ook een paar keer in gezeten als ie r's een keer naar Jansje en Lieuwe ging, en dat was hem best bevallen. De volgende keer mocht Klaas daar mee naar toe. Niet dat het zo'n feest was om daar te wezen in die dooie zaak aan een opgebroken straat maar in de stad zelf was reuring genoeg. En die zochten Lieuwe

en hij dan maar op. En wat je daar dan niet allemaal zag aan drukte en rariteiten... Daar kon je je hier in het dorp geen voorstelling van maken. Maar wat dat met Lieuwe worden moest...
En ze deden maar, ze deden maar.
Thuis luchtte hij zijn hart tegen Hiltje. Bij hem, de anders nogal zwijgzame Frederik, bruiste het van binnen van ergernis en zorg, ondanks hetgeen hij genoten had.
„Als er, zolang ik daar in de kamer zat, tien klanten in het café weest benne, dan is het veel," kwam hij los. „En die twee benne maar best in 't zin en ze lache en prate maar met hullie kindere..."
„Hoe vond je die?" viel ze hem in de rede.
„Wel leuk 'oor. Knappe smoeltjes en nette maniere. Ja, als alles daar zo slaagde als die twee, dan had ik geen zorg. Maar Lieuwe en Jans... Laat die nou... nou ze ophedcn zowat geen kwartje invange... laat ze nou de vorige maand op portret gaan weze bij een dure fotograaf."
„Waarom?"
„Voor later, voor Freek en IJtje als hullie zelf dood benne. Daar hewwe ze het café zo'n twee uur voor sluite moeten, want dat weet je ook nog wel, je moet zo'n tijd stilstaan voordat die man in het baltje knijpt en dan moet je nog afwachte of het goed is."
Hiltje wist het nog. Ze waren zelf ook een keer op portret gaan. Toch... toen Jan en Johanna trouwden kwamen Jansje en haar man ook over en deden blij en onbezorgd alsof ze op een goudmijn zaten in plaats van in een verloren zaak. Hiltje nam haar even apart.
„Gaat het nou beter dan toe vader bij jullie was mijn kind?"
„Welnee moe, net even slecht."
„Waar moet dat heen?"
„Oh, als alles op is dan zoekt Lieuwe wel wat aars."
„Wat aars? Wat wil ie dan?"
„Och, een baantje of wat licht werk."
„Waarzo?"
„Oh, ergens. Pieker maar niet over ons, moeder. Een kat komt immers ook altijd op zijn pootjes terecht."
„Dat mag zo weze, maar die van ons heb bij een val lelijk

zijn bek bezeerd. Maar kon je nou het reisgeld wel misse?"
„Welja. Waar alles vandaan komt kwam dit ook."
Toch stopte Hiltje dit onbezorgde kind nog snel al het geld toe dat ze bij zich had.
„Voor je kindere," zei ze er nog bij.
Zo zat Johanna nu als boerin op de plaats en Jan boerde op de manier die hemzelf goeddacht en niet zoals zijn vader dit eiste.
En Frederik en Hiltje woonden in het door hem zo begeerde huis en waren daar gelukkig. Er was een ruime kelder, een frisse keuken, twee mooie kamers aan de voorkant door een gang gescheiden. Er was een ruime slaapkamer terwijl boven, achter de dakkapel, een leuk kamertje was voor Klaas, helemaal voor hemzelf alleen. Hiltje had alles gezellig ingericht met onverslijtbare stukken en ze had de vele kasten gevuld met het eigene en het geërfde pronkgoed. Ze nam een werkster en een wasvrouw en voor de rest deed ze het huiswerk zelf, genietend van alle gemakken die de nieuwe tijd haar bracht zoals een verbeterde olielamp en een haard die dag en nacht aanbleef en weinig as produceerde. Oh, het was zo'n genot om in dit nieuwe huis te werken en te wonen. En Frederik maaide genoeglijk het gras rond het huis met een goed geslepen zeis, verzamelde dan het gras in een mand en bracht het naar de varkens van Jan Bierhaalder of hij werkte wat in zijn groententuintje en was ook tevreden.
Er kwam echter een zaterdagmorgen in mei waarop Jan, in plaats van in Hoorn twee Drentse maaiers voor de hooitijd in te huren, daar zomaar een maaimachine kocht. Met spijt bedacht Frederik toen dat het zingend geluid dat door het scherpen van de zeis werd voortgebracht, spoedig niet meer gehoord zou worden.
Er was ook een dag dat Lieuwe en Jansje uit Amsterdam terugkwamen in hun oude dorp waar zij, zijn eens zo fiere dochter, een winkeltje begon. Een zaakje dat blijkbaar toch goed liep, want nog geen twee jaar later reden hun kinderen elk op een nieuwe fiets.
Zoiets deed Klaas allang en het hoefde hem niet eens geleerd te worden. Hij leerde het zichzelf. Zo kon hij het niet en zo reed hij weg op dat wankele ding. Klaas ging nu in de stad op school.

Die moest studeren, hij moest wat worden in de wereld.
Klaas werd dat niet. Tot diepe spijt van zijn vader doch tot verzwegen blijdschap van zijn moeder wilde hij na zijn drie jaar H.B.S. niet van huis doch verkoos om in het eigen dorp onder leiding van de gemeentesecretaris op het raadhuis te gaan werken, een man die – zelf al op leeftijd – er een genoegen in vond zo'n jonge kracht op te leiden.
Het was in die dagen dat Hiltje in de driemaal per week verschijnende courant de overlijdensadvertentie van een wagenmaker las. En opeens voelde ze zich weer even het jonge meisje dat eens in diens sterke armen stond en door hem gekust werd zoals Frederik het in al hun huwelijksjaren nooit had gedaan. Er was verder niets tussen hen geweest dan een paar verstolen wandelingen; ze wisten allebei dat hun prille liefde hopeloos was, maar toch, soms, had Hiltje nog wel eens aan hem gedacht.
En toen kwam onverwachts het uur waarop zij zelf uit het leven weggleed. Drie dagen later stond Frederik aan haar graf met naast zich al zijn kinderen. Door vretend verdriet gekweld bedacht hij hoe oneindig dierbaar deze vrouw hem was geweest, hoewel hij bijna zeker wist dat hij nooit haar hele hart bezeten had. Er waren ogenblikken geweest dat haar gedachten zomaar wegdwaalden en haar ogen doelloos naar buiten staarden. Dan leefde ze in een wereld waarin hij geen toegang had. En nu was Hiltje weg en stond hij aan haar graf met zijn kinderen, met Cor, de zelfverzekerde, met Jansje, de luchthartige . . . Nee, dat was Jansje niet, schoot hem in gedachten. Jansje was als haar moeder, ook zij had de wil om een klein hoekje van haar hart voor zichzelf te houden, een plekje dat haar in staat stelde om alle verdriet en ergernis over Lieuwes mislukkingen schijnbaar blij te dragen. Er zelfs aan mee te doen. Zij, eens zijn liefste kind, zij leek het meest op haar moeder. Zij volbracht blij wat ze op zich genomen had. Johanna was anders. Nuchter, zakelijk en gelukkig met Jan die haar uit een kwellende vernedering had gehaald. En Klaas? Die was nog een onbeschreven blad, al toonde hij reeds een sterke wil.
Met die kinderen moest hij verder leven. Ze waren hem dierbaar, allemaal. Maar voor het liefste dat hij op aarde ooit bezeten had luidde nu de klok ten afscheid.
Met Klaas naast zich verliet hij het vredige, door hoge bomen

omringde kerkhof. Achter zich wist hij Cor en Tine, dan de vier anderen en daarna volgden de oudste kleinkinderen. Zijn leven was vrijwel voorbij, het hunne ving nog pas aan. Wat zou het hun brengen?

Dertiende hoofdstuk

Dat vroeg Freek Bootsman zich op de begrafenisdag ook af toen hij tegen de avond het gepraat der familie in zijn grootvaders huis ontliep en op een bank tegen de buitenmuur ging zitten. Aan dit, zo'n huis, daar kun je je aan hechten, drong hij zichzelf op. Maar aan mensen moet je dat nooit doen. Je had net een paar vrienden gemaakt of een verhuizing maakte een eind aan die vriendschap; je hield veel van iemand en die ging dood. En waarom juist grootmoeder Hiltje? Bij vaders ouders kwam hij zelden, het waren beste mensen, maar ze lagen hem niet, net zo min als opa Mantel. Maar deze grootmoeder... een lievere vrouw kon je je niet voorstellen. Zolang ze uit Amsterdam terug waren ging hij elke zondagmiddag naar haar toe. Dan was grootvader naar de boerderij voor een praatje met oom Jan en waren ze samen. Ze dronken thee, grootmoeder vroeg naar zijn werk... of wat hij het prettigst vond... ze vertelde van vroeger uit de tijd toen het overal nog ouderwets toeging. Nu, in 1913, was alles heel anders, veel moderner. Wat moesten de mensen toen ploeteren om bijvoorbeeld het hooi binnen te krijgen. En dan het zelf kazen en karnen. En het naaien van de kledingstukken, steekje voor steekje met de hand. En ze kon dat zo beeldend vertellen dat je het bijna zag gebeuren. De vorige zondagmiddag had ze hem nog over haar eigen jonge tijd verteld en haar altijd wat stille gezicht leefde op tijdens dat verhaal over die tijd van toen. Een dag later was ze plotseling overleden en hij zou haar zachte stem, die zo erg op die van zijn moeder leek, nooit meer horen. Nee, de gelukkige uren die hij in dit huis had doorgebracht, die waren voorbij. En zijn hand gleed even langs de muur als een streling tot afscheid.

Er was meer dat bij hem voorbij was. De verering voor zijn vader, de vrolijke vader die eens zijn held was. Nu hij echter met een stel oudere timmerlui aan de nieuwe kolfbaan naast hun huis werkte, leerde hij om hem met de ogen van die mannen te

zien, door hun verhalen over de tijd dat vader daar kastelein was. Een baas die het geld als het ware tussen zijn vingers door had laten glippen. Dat hij met guldens smeet, dat nooit. Nee, het waren de dubbeltjes en de kwartjes die hij niet vast kon houden. En dan voelde hij zichzelf vernederd over de man die eens deze nieuwe kolfbaan had moeten laten bouwen. En hij vond zijn vader een nietsnut. En moeder?
Och, wat hadden ze aan moeder? Vader kwam bij haar in de allereerste plaats en dan de winkel waar ze met schijnbaar eindeloos geduld de soms heel lastige en moeilijke klanten aan wol, zijde, garen, knopen en joost weet wat, hielp. Dan pas kwamen IJtje en hijzelf aan de beurt. O ja, verder kwamen ze niks te kort, ze kregen alles wat een ander had en soms zelfs nog meer. Maar hij wou aandacht en belangstelling, het gevoel ook eens nummer één te zijn. En dat had hij nooit genoten. Nee, aan mensen moest je je nooit gaan hechten. Dat kon je beter aan je werk doen want daarin lag je toekomst.
Zo . . . en nu zou hij maar eens naar binnen gaan om te zien of het al tijd voor de broodmaaltijd was, want verdriet of geen verdriet, de honger kwam evengoed.
Bij zijn binnenkomst keek Jansje even op. Freek had zich blijkbaar even vertreden. Wel, hij had gelijk, wat was er vervelender voor een jongen van zijn leeftijd dan zo'n familiebijeenkomst. Voor IJtje was dat anders. Die zat bij het dochtertje van Cor en Tine en dat makkerde al aardig, maar Freek zat maar eenzaam bij de mannen. Voor hem was er niemand. Hij sloot zich trouwens ook moeilijk aan. Hij had hetzelfde geslotene dat vader Frederik soms over zich had. Wat een geluk dat hij zich zo aan zijn werk overgaf. Hij werd beslist nog eens een goed vakman. Wel jammer dat zij hem naderhand niet aan een bedrijf konden helpen, want ze hadden haar moeders erfdeel al opgemaakt. Maar och, misschien kwam vader dan wel over de brug. Freek was immers naar hem genoemd.
De zon ging onder en gaf aan de opstijgende sigarenrook een gulden gloed die langzaam wegtrok toen de deuren geopend werden, de mannen even naar buiten gingen en de vrouwen hielpen met het dekken der tafels. Daarna, toen de gaslamp zijn licht over hen spreidde, veranderde de stemming der aanwezigen en steeg tegelijk met de mindering van het brood en de

vleeswaren op de schotels tot het precies een gewone gastdag leek.
Ze zaten alleen iets ruimer, want er ontbrak een stoel die vroeger altijd midden voor de tafel stond. Doch dat was voorbij en het leven ging verder.
Dit ondervond Freek een jaar later toen de oudste knecht van zijn baas door de mobilisatie weer soldaat moest worden en hijzelf daardoor een stapje omhoog kwam, wat in zijn loon het meest merkbaar was. En hij begon te sparen voor zijn plan om, zodra dat mogelijk was, het dorp te verlaten en in Amsterdam of de Zaanstreek werk te zoeken. Dat was zijn droom en die moest in vervulling gaan. Bij zijn grootvader kwam hij zelden meer. Die leefde nu met Klaas en een huishoudster in het hem nu wat vreemd geworden huis. En bij tante Johanna en oom Jan evenmin sinds daar drie kleine meisjes de rust verstoorden. Dus zocht hij een enkele maal vertier bij zijn vaders familie of in het café voor een spelletje biljart. Met meisjes liet hij zich weinig in. Voor niets ter wereld wilde hij zich gebonden voelen.
Zo werd het 1918 en kwam het eind van de wereldoorlog in het zicht en daarmee verscheen ook het uitzicht op een opleving in de bouwwereld. En Freek popelde om daaraan mee te doen.
Eindelijk, in november, was het zover en hij kwam opgewonden thuis om daar over zijn plannen te spreken. Hij trof daar zijn vader rillend dicht bij de kachel aan en zijn moeder in bed.
„Wat geeft dat hier?" vroeg hij aan IJtje die in de keuken bezig was een warme drank klaar te maken.
„Pa en Moe benne tegelijk ziek worren," zei ze. „Ik ben erg bang dat ze die Spaanse griep krijge."
„Welnee," weerde hij dit snel af. „Dat hoeft toch niet. Ze hewwe vast de koud te pakken."
IJtje zuchtte.
„Ik help het je wensen," zei ze bezorgd. „Maar ik ben erg bang dat het die akelige ziekte is."
IJtje had gelijk. Het was de griep. Nog geen week later waren Lieuwe en Jansje allebei dood en begraven en kon Freek gaan en staan waar hij wilde. Terwijl IJtje een baan in de huishouding zocht, koos hij de Zaanstreek uit om te gaan werken. Zijn deel van het geld dat huis en winkel opbrachten gaf hem een

gevoel van zekerheid. Al waren dan zijn ouders er niet meer, hij had toch nog iets achter zich dat steun kon geven.
Bij de baas die hij al spoedig vond kon hij als inwonende knecht in huis komen. Dat was voor hen allebei voordelig. Daardoor ontstond er langzamerhand een band tussen hen die een zekere vertrouwelijkheid inhield. Zo vertelde de man eens dat hij graag van zijn zaak een aannemersbedrijf wilde maken, doch dat het daarvoor benodigde geld hem ontbrak. Met niets kan je weinig beginnen. En toen vertelde Freek over zijn eigen klein bezit en over de te verwachten erfenis van zijn grootvader wiens gezondheid snel terugliep. Zo werden ze alvast compagnons en maakten reeds plannen die twee jaar later werkelijkheid werden toen Frederik Mantel dood was en zijn nalatenschap verdeeld. Nog eenmaal was toen de overblijvende familie bij elkaar in het renteniershuis, Klaas verloofd met een zekere Zwaantje Bijvoet, de enige zoon van Cor en Tine als tandarts, hun dochter getrouwd en op de plaats Jan en Johanna met drie opgroeiende dochters . . . allemaal familie en hem toch volkomen vreemd. Alleen het huis deed hem nog iets.
Doch het bedrijf bloeide van toen af aan op in de jaren van woningnood en vooruitgang op elk gebied. Zo reed Freek al spoedig in een eigen auto van en naar de plaatsen waar door hun personeel gewerkt werd en waar die hem kenden als geen gemakkelijke, doch wel rechtvaardige baas, die een goed loon betaalde, maar het beste eiste van iedereen.
„Denk je nooit eens aan trouwen?" vroeg de vrouw van zijn compagnon op een keer nadat een van zijn vluchtige verkeringen weer was verbroken. „Zo kan je toch niet doorgaan, Freek. Niet dat je ons teveel bent hoor. Ons huis is ruim genoeg. Maar je keus wordt geleidelijk aan minder."
Hij gaf haar gelijk. Maar de ene die hij wilde paste niet in het groepje waar hij mee omging. En juist haar begeerde hij.
„Tja . . . die mij willen, die wil ik niet en die ik wil, die wil mij niet," zei hij.
„En ik mag zeker niet weten wie dat is?" vroeg mevrouw.
Freek lachte eventjes.
„Och, waarom niet? Het blijft toch onder ons hè?"
Zij knikte.
„Het is Greta de Lange."

„Die . . ." ontviel mevrouw. „Maar jongen . . ."
Al wat zij Freek ooit zou gunnen, nooit een huwelijk met deze verwaande, koppige jonge vrouw. Als hij haar beslist wou hebben dan was die liefde werkelijk blind.
„Wat bedoelt u?" vroeg hij hoog.
„Dat ik je misschien wel met haar in kennis kan brengen," herstelde ze zich vlug. Dat kon gemakkelijk en als hij haar beter leerde kennen . . . „Haar moeder is nog een verre nicht van mij. Ik nodig hen wel eens een keertje uit," beloofde ze.
„Dat is heel lief van u," prees hij dit plan.
Het lukte. Doch wat mevrouw gehoopt en zelfs verwacht had, dat gebeurde niet.
Freeks huidige positie en vooral de vooruitzichten van zijn bedrijf trokken het al ouder wordende meisje zo aan dat ze zijn alledaagsheid graag over het hoofd zag. Als ze eenmaal getrouwd waren zou ze hem geleidelijk zijn dialect en wat grove manieren wel afleren. Maar eerst moest er een nieuw huis komen. Een riant gelegen woning naar haar smaak.
Freek had daar liever nog wat mee willen wachten. Het paste hem beter om de eerste paar jaartjes wat eenvoudig te gaan wonen en leven, doch Greta won.
„Wat dan kan, moet nu ook kunnen," zei ze rustig met een speciaal voor Freek bestemd glimlachje om haar trotse mond en een lichte frons op het hoge voorhoofd, waarvan het blonde haar was weggetrokken tot een hoog kapsel. Freek kende dit teken en liet hun huis bouwen.
Hun huwelijk was goed. Greta domineerde in huis en Freek in de zaak zodat ze het elkaar zelden moeilijk maakten. Met zijn familie had hij geen contact meer, zelfs niet met IJtje. Alleen die van Greta was in tel; zij wenste geen omgang met dat boerenvolk. Die pasten niet bij de kring waaruit zij voortkwam. Een kring waarover Freek zich tegen zijn compagnon soms smalend uitliet om hun uiterlijke voornaamheid, waarvan binnenshuis weinig merkbaar was.
Ze kregen eerst twee dochtertjes. Flinke, gezonde kinderen met goudblond haar. Pas jaren daarna werd Freeks hartewens vervuld door de geboorte van een zoon, donkerder dan zijn zusjes doch niet minder mooi.
Naar de dringende wens van Greta werd het kind Freddie ge-

noemd, maar Freek noemde hem meestal zijn kroonprins. En het kind verdiende die naam, want een lievere baby en een aanvalliger kleuter kon hij zich niet wensen. Met een lachje veroverde Freddie ieders genegenheid en verkreeg al wat hij wenste.
Maar toen . . . op school . . .
„Hij is wat speels," gaf men voor toen hij een paar klassen moest overdoen. Klassen waar zijn zusjes doorheen waren gevlógen. Telkens opnieuw werden hem hun cijfers voorgehouden zonder dat het hem iets deed. Zelfs de vele bijlessen die hij kreeg maakten van hem geen goede leerling. En hij voelde weinig voor de wensen van zijn ouders die zo veelzijdig waren. Hij mocht werkelijk alles worden, als zij daar maar trots op konden zijn. Doch terwijl zijn oudste zuster voor kinderarts ging studeren en de andere Oosterse talen als studievak koos, ploeterde Freddie zich, na een paar mislukkingen op andere scholen, welgemoed door de lessen van het technisch onderwijs. En het was juist dat blijmoedige wat Freeks ergernis opwekte, omdat het hem aan vader Lieuwe deed denken. Die droeg zijn mislukkingen ook zo luchthartig. Zonder enige strijd gaf hij er zich aan over. Maar dat mocht zijn zoon niet doen. Die moest even vechtlustig zijn als hijzelf, even trots als Greta's familie en even zelfverzekerd als grootvader Mantel.
Jammer genoeg werden die wensen tot een damp toen Freddie na een hevige scène riep:
„Ik wil niet studeren. Ik kan het niet. Mijn cijfers wijzen dat toch al jarenlang uit!"
„Als je maar wilt," hield Greta koppig vol.
„Jongen, grijp toch je kans," drong Freek aan. „Wat zou ik dankbaar geweest zijn als ik op jouw leeftijd . . ."
„Ja, dat heb ik al duizendmaal gehoord," brak Freddie dit af. „Als ik . . . als ik . . . Maar ik ben u niet. Waarom laten jullie mij niet op mijn eigen manier gelukkig zijn? Ik wil graag meehelpen dat nieuwe huizenblok te bouwen en dan leer ik, al doende, meer met mijn handen dan met mijn hoofd."
„Jij . . . mijn kroonprins . . . jij als timmermansknecht?" brieste Freek.
„Waarom niet?" vroeg Freddie kalm. „Beter een goeie handarbeider dan een prutser met een wit boordje om. En huil daar

maar niet om, mama. Ik ben nu eenmaal een doodgewone jongen. En u heeft immers al de meisjes om trots op te zijn."
„Dat wel. Maar dat juist jij . . ."
Freddie kreeg zijn zin. Hij werkte met plezier al werd hij, als zoon van de grote baas, door zijn collega's niet volledig geaccepteerd. Er bleef altijd eèn licht wantrouwen tussen hen bestaan dat Freddie een gevoel van eenzaamheid gaf. Een gevoel dat versterkt werd door de minachting waarmee Greta over zijn werk sprak en de koele houding van Freek. Zo moest hij, thuisgekomen, zich in een achter de woning staand schuurtje eerst wassen en omkleden voor hij naar binnen mocht. Greta duldde geen overall en werkschoenen in huis. Zelfs niet in de keuken. En tegenover haar kennissen deed ze net alsof Freddie een zekere opleiding volgde.
Maar diens leven kreeg plotseling fleur toen hij op een morgen, terwijl hij met de andere arbeiders uit het busje stapte dat hen dagelijks naar hun werk bracht, eèn meisje zag passeren dat naar hem glimlachte. Een leuk, vrolijk gekleed schepseltje dat daar langsfietste op zomaar een zonnige morgen.
Die glimlach deed hem wat. Hij had nog nooit ontdekt dat een meisje hem aardig vond, hoewel hij wist dat zijn gezicht eerder knap dan gewoon was. Of had hij daarvoor teveel met zijn eigen ellende getobt? Maar dit meisje . . . Wie was ze? Waar woonde ze? Wat deed ze en waar ging ze heen? Zou ze omstreeks deze tijd hier vaker langskomen?
Het was een reeks van vragen die Freddie bestormde terwijl hij aan zijn dagtaak begon. Tot zijn geluk zag hij haar de volgende morgen en nu glimlachte hij terug. Ze was aardig, zag hij nu. Niet bepaald mooi maar vriendelijk en zo op de fiets leek ze hem een fraai gebouwd meisje toe. En het korte blauwe manteltje en de gebloemde rok kleedden haar sportief.
Nadien zagen ze elkaar iedere morgen. Hoe dit kon was hem een raadsel, maar zodra het busje stopte kwam zij aanfietsen en haar glimlach werd al spoedig begeleid door een knikje. Al gauw plaagden de anderen hem ermee, doch dat deerde hem niet. Zijn leven was te zeer vervuld met vragen.
En toen kwam er een morgen dat precies voor het huizenblok waaraan zij werkten haar fiets het begaf. Vóór een der anderen haar kon helpen schoot Freddie toe en maakte met enkele

bewegingen de zaak weer gangbaar. Intussen bespraken ze het foutje even en hij genoot van de volle klank in haar stem.
„Mijn hartelijke dank hoor,” zei ze, voor ze dacht weg te rijden. Maar hij greep het stuur vast.
„En mijn loon?” eiste hij plagend.
„Hoeveel?” vroeg ze terug. „Een of twee kwartjes? Denk je er even aan dat ik een werkende vrouw ben?”
„Dat doe ik. Ik bereken hiervoor een avondje bioscoop op mijn kosten.”
„Aangenomen. Wanneer?”
„Zaterdagavond.”
Toen reed ze weg en liet hem ademloos achter in dit hem plotseling toegevallen geluk.
Op die eerste bioscoopavond volgden er meer tot ze elkaar zo goed kennen dat zo'n bezoek niet meer nodig was om hun avond te vullen. Hij wist toen dat ze Emmie de Rooi heette, op een kantoor werkte en negentien was. Dat haar ouders heel gewone mensen waren, dat ze drie broers en een zusje had en dat ze tevoren altijd om de hoek van een huis had gewacht tot ze hun autobusje zag stoppen.
„Toen je voor het eerst naar me lachte was ik verloren,” bekende ze vrolijk.
„Met mij was het precies zo,” gaf hij grif toe.
Na een halfjaar kwam hij bij haar ouders thuis.
Vriendelijke mensen die hem aannamen zoals hij was, tot ze wisten dat hij geen gewone timmerman was, doch de enige zoon van Bootsman, een van de bazen van een aannemersfirma. Bang voor moeilijkheden en veel verdriet van Emmie raadden ze hun verkering af.
„Het kan nooit iets worden,” voorspelde De Rooi.
„Weet wat je begint,” waarschuwde zijn vrouw.
Doch ze luisterden niet en gingen door, tot hun verhouding zo intiem werd dat van teruggaan geen sprake meer kon zijn.
En Freek en Greta wisten nog van niets, al hadden ze wel enig vermoeden dat Freddie met meisjes uitging. Want vrienden bracht hij nooit meer mee naar huis; iets wat tevoren wel eens een enkele keer gebeurde. Doch op zijn moeders vragen gaf hij zo'n stroef en ontwijkend antwoord dat ze er maar niet verder op inging. Totdat . . .

Het was op een avond toen ze weer samen waren dat Emmie haperend uitbracht:
„Ik ben al twee weken over mijn tijd, Freddie."
„Och, het komt wel goed," troostte hij. „Wees maar niet bang, schat. Ik ben heus wel voorzichtig."
Maar een benauwende angst beklemde zijn keel.
Wàs hij dat altijd wel . . . ? Waarom wist hij ook niet meer van die dingen af? Wat drommel, wat was hij voor een vent? Maar wie durfde bij hem thuis ooit over seks te lezen? Laat staan te praten. Hij zag het gezicht van zijn moeder al wanneer ze, in zijn door haar altijd zelf opgeruimde kamer, een boek over voorlichting zou vinden. Haar wereld zou vergaan. En bij De Rooi werd er evenmin over gepraat. Op het werk wel, maar daar had je niets aan. En nu dit, terwijl hij toch . . . Ja, het moest goed komen. Het moest!
Het kwam niet goed en moeder de Rooi sprak hen daar op een avond, toen geen der andere kinderen mee aan tafel zat, over aan.
„En wat denken jullie nou te doen?" besloot ze.
Ze wisten het geen van beiden. Dit overviel hen midden in een geluk dat ze eindeloos dachten.
„Dan weten wij het wel," betrok ze nu ook haar man in deze kwestie. „Freddie, jij moet dit aan je ouders vertellen en dan kunnen jullie trouwen."
„Trouwen? Daar zegt u wat. Hoe kan dat zonder geld en zonder een huis?"
„Heb jij dan niets gespaard?" vroeg Emmies vader verbaasd. „Er wordt in jouw werk toch aardig verdiend."
„Dat wel. Maar mijn vader geeft mij alleen zakgeld."
„Dan zal dat gauw moeten veranderen. En een woning? Tja, als het niet anders kan kom je voorlopig maar hier."
„Wat een geluk dat ik altijd zo zuinig was," zei Emmie blij.
Freddie keek de kamer rond. Ruim en heel eenvoudig doch wel gezellig ingericht. Daarachter wist hij een flinke keuken en boven vier slaapkamers met daarop nog een vliering. Daar zou hij desnoods een vertrekje voor het zusje kunnen maken of voor een jongen. Gelukkig waren dus hier de zaken voorlopig geregeld. Vader en moeder de Rooi waren nog wel wat stroef, maar dat ging wel voorbij. Nu zijn ouders nog. En dat kon wel eens anders gaan.

Dat deed het dan ook. En toch leidde Freddie het heel voorzichtig in door te zeggen dat hij verkering had.
„O ja? Met wie?" vroeg Greta vol belangstelling.
„Ze heet Emmie de Rooi."
„De Rooi . . . Die ken ik niet. Jij soms wel, Freek?"
„Ik evenmin. Waar woont ze en wat doet haar vader?"
Vanzelf . . . de oude vraag . . . wat doet haar vader? dacht Freddie grimmig. Nou papa, daar zal je van schrikken.
„Die is gemeentetuinman en hij woont in de rij huizen achter het blok dat u daar bouwt."
„Gemeentetuinman . . . ?" Greta vertrok haar mond alsof ze een vies woord zei. „Dan is dat toch geen meisje voor jou?"
„Waarom niet, mama. Ik ben toch ook maar een gewone timmermansknecht. Zij werkt op een kantoor. We passen dus goed bij elkaar," spotte Freddie.
„Hou je mond," beval Freek. „En zet die verkering maar gauw aan de kant, want daar kan niks van komen. Je zorgt eerst maar dat je wat bent."
„Niks van komen?" Nu moet ik het zeggen, wist Fred en het was hem alsof er een koude spiraal razendsnel door zijn lichaam draaide. „Er moet wel iets van komen, papa. Er is namelijk al iets op komst."
„Heb jij . . . ? Moet jij . . . trouwen?" bracht Greta uit.
„Ja, mama. Ik moet trouwen met het liefste meisje van de hele wereld."
„Wie zegt er dat jij trouwen gaat!" snauwde Freek hem toe. „Ik zal dit zaakje wel anders regelen. Begrijp dat goed."
„Er valt niks te regelen, papa," zei Freddie beslist. „Dat heb ik zelf al gedaan."
„En dit . . . terwijl ik jou zo netjes heb opgevoed," snikte Greta nu haar eigen gedachten uit. „Die meid is vast niet veel zaaks dat ze je hiertoe heeft gebracht."
„Het is een flink en gezond meisje, net zo goed als ik een gezonde jonge kerel ben," beet Freddie haar nors toe. „En we gaan al bijna een jaar met elkaar."
„Zolang? En wij wisten nergens van?"
„Natuurlijk niet. Ik wist al vooruit hoe ze hier zou worden ontvangen."
„En nou zitten wij met de gevolgen van dat stiekeme gedoe

Maar er moet wat aan gedaan worden. Dat moet!"
„Juist. En daarom gaan we trouwen, mama."
„Dat gebeurt niet," brieste Freek. „Ik ga wel naar die ouders toe om dit in orde te maken."
„Dat doet u niet," zei Freddie ijzig. „Dit is mijn zaak en niet de uwe."
„Jouw zaak? Lelijke stommerd die je bent. Je kunt jezelf nog niet eens onderhouden. En ik ben nou nog wel bezig met iemand te zoeken die jou kan helpen om een zaakvoerderscursus te volgen zodat je tenminste wat kunt zijn."
„Dat hoeft niet, papa," wees Freddie dit af. „Laat mij maar zoals ik ben."
„Zoals jij bent . . . !" raasde Greta hem nu toe en haar gezicht vertrok van teleurstelling en ergernis. „Dat is nogal wat om trots op te zijn. Een slampamper ben je en die meid is een slet!"
Ze ging door met hem de meest vernederende scheldwoorden toe te schreeuwen die haar in gedachten kwamen, tot Freddie de kamer verliet en de deur schijnbaar rustig achter zich sloot.
Dit was tenminste voorbij. Ze wisten het nu.
Morgen zou hij wel verder zien.

Veertiende hoofdstuk

Dit „morgen" van Freddie werd een hele week vol verwijten, harde woorden en scheldpartijen die niets anders uithaalden dan dagelijkse ellende. Tot hij op een avond zei: „We rooien het toch nooit meer, papa. Geef mij mijn loon over de afgelopen anderhalf jaar en u is van mij af. Als ik dan zo'n brok verdriet in uw leven ben kan ik beter vertrekken."
„Jij lelijke, stomme, inhalige schoft . . ." liet Freek zich gaan. „Weet wel dat, als jij nou zo de deur uitgaat, je er nooit meer in hoeft te komen en die meid van jou evenmin."
Nu blinde woede zijn teleurstelling en verdriet overheerste moest hij dit zeggen, evenals Greta haar bezeerde trots in grievende woorden tegen hem uitte.
Doch Freddie hield zich uiterlijk kalm en bleef zijn ouders onbevangen aanzien. Het leed en de spanning die in hem vraten verwerkte hij 's nachts in een wilde huilbui waarvoor hij zich later schaamde. Gelukkig werd hij in het gezin van De Rooi goed opgevangen en was Emmie eindeloos lief en geduldig.
„Maar er moet toch iets gebeuren," vond Greta, toen zij en Freek op een morgen met z'n tweeën aan de ontbijttafel zaten. „Zoals de toestand nu is wordt het elke dag slechter. Waarom ga je nooit eens naar die mensen toe om te praten? Met geld kun je alles bereiken."
„Wel veel ja. Maar bij Freddie geen meter. En ik vrees van bij die meid evenmin. En als die twee niks willen . . ."
Hij zuchtte even en keek om zich heen in de kamer waarin alles was wat hij zich wenste. En zo was zijn leven ook bijna geweest. Behalve dat met Freddie van de laatste jaren. En op die jongen, zijn kroonprins, had hij eens al zijn hoop voor de toekomst gebouwd.
„Praat nog r's met hem," raadde Greta aan. „Hij weet zelf misschien toch ook niet wat hij met dit geval aan moet."
Maar Freddie wist het wel. En toen dat praten van Freek nog diezelfde avond door diens onbeheerste drift op een nieuwe

ruzie uitliep, toen smeet hij enkele van zijn bezittingen in een koffer en verliet het huis.
Toen hij de volgende morgen ook niet op het werk verscheen wist Freek dat hij deze strijd verloren had. En hij was een slechte verliezer.
„Denk niet dat ik voor hun huwelijk mijn toestemming geef," zei hij grimmig. „Laat dat stel maar een poosje spartelen."
Doch dit wilde Greta niet. Er zou al genoeg over hen gekletst worden. Freddie had zich nu eenmaal gebrand en als hij dan zo graag op de blaren wou zitten, dan moest hij zijn gang maar gaan. Freek en zijzelf hadden genoeg geprobeerd hem daarvan te weerhouden. Zij moesten zich voortaan maar wat meer op de meisjes richten, waar zij wel trots op konden zijn.
En zo kwam Freddie dan bij De Rooi in huis waar een plaatsje voor hem werd ingeruimd.
„Wat doe je met je werk?" vroeg haar vader 's avonds.
Ja . . . zijn werk . . . Er moest gewerkt worden als hij leven wilde. Vooral straks als ze getrouwd waren.
„Ik moet een andere baas zoeken," stelde hij voor. „En dan een die me wel betaalt."
Want het gederfde loon zat hem nog steeds dwars.
Dat deed het Freek trouwens ook. Bij alle onzin die de jongen heeft uitgekraamd is dat het enige waar ie gelijk in heeft, bedacht hij op diezelfde tijd. Ik zal hem dat geld maar sturen, want het kan wel even duren voor ie weer op het werk verschijnt. En dat zal ie wel moeten, want een andere baas heeft ie hier in de buurt niet zo gauw. Daar zal ik wel voor zorgen.
En Freddie zal ook wel gauw genoeg hebben van de toestand daar. Hij is het zo ruim, goed en rustig gewend en dan nou in zo'n druk gezin en zonder werk. Nee, die komt wel weer gauw terug en dan regel ik dit geval verder.
Maar Freddie kwam niet terug. Zijn verzoek om toestemming voor hun huwelijk werd schriftelijk gedaan en dus ook zo beantwoord en dat was het al.
„Zeg joh," trok een van zijn aanstaande zwagers op een middag onder de maaltijd zijn aandacht. „Jij wil zo graag werk en een huis. Nou, dat kan je krijgen hoor. Maar het is ver van hier. In Limburg. Mijn maat weet wel waar. Jij bent toch op de Technische School geweest, hè?"

Freddie knikte.
„Nou, dan zit het wel snor. Maar je moet opschieten, want als het daar bekend wordt van die woning . . ."
„Hoe zit dat dan?"
Nu volgde er een heel verhaal over een oude oom die nog steeds werkte en zelfstandig woonde, maar daarmee ophield en nu bij familie zijn intrek ging nemen. Zijn baas, ook al bejaard, wilde nu een jonge kracht die wat geleerd had.
„Nou . . . en dat heb je toch?"
„Ja, dat heb ik," gaf Freddie wat smalend toe. Maar of het wel of niet lukken zou – en het zou dat laatste wel zijn – hij ging er toch heen. Gelukkig had de ander het adres al mee. „Daar ga ik morgen maar naar toe."
Wat het deed, zijn woorden, zijn glimlach, of zijn diploma, dat kon hij zelf niet gissen, maar het baasje nam hem aan. Goed, het loon was laag en het optrekje dat hun tot woning moest dienen klein, maar hij had het. Dit werd geen handophouden en ergens inwonen; dit werd arbeid en een eigen thuis. Dolgelukkig stapte hij 's avonds bij De Rooi binnen.
„Ik heb het, Emmie. Ik heb het!" riep hij, trots op deze zelfstandige daad. Pas nu voelde hij zich echt een man.
„Wanneer moet je beginnen?"
„Over drie weken."
„Dan moeten we vlug trouwen," zei Emmie blozend van geluk. „Ik heb voor onze ondertrouwkaarten al een adreslijstje klaar. Maak jij het jouwe ook even?"
Een adreslijstje . . . Waarheen moest hij zo'n ding gaan sturen? Naar papa in geen geval en zijn zusters evenmin. Die hadden Emmie ook al beledigd met hun scherpe tongen. En wat had hij verder? Van mama's kant enkel boze mensen. En de anderen? Ergens in een polder woonde nog tante IJtje, een zuster van papa, maar hij had het goeie mens nog nooit gezien. En dan waren er ergens in een dorp nog een oom Jan Bierhaalder en een tante Johanna met drie getrouwde dochters waarvan er één met een zekere Dekker getrouwd was. Waarom zou hij al die vreemde mensen lastig vallen met een ondertrouwkaart? Mama wilde immers geen omgang met hen. Ze konden wel denken dat het Emmie en hem om een cadeautje te doen was. Nee, van hem geen adressen.

Toch . . . er was er nog eentje. Die oom Klaas, de ouwe heer met zijn gouden bril die één enkele keer bij hen kwam met een heel fijn knap vrouwtje. Die waren altijd bijzonder lief voor hem geweest en zeurden niet over zijn domheid en dat hij zijn best moest doen. Die oom had zelfs eens gezegd:
„Het gaat er om Freddie, dat je, wat je ook in het leven gaat doen, dat goed doet. We kunnen nou eenmaal niet allemaal professor zijn."
Dat had hem toen zo goed gedaan. Ja, aan die oom en tante zou hij een bericht sturen. En niet zomaar een kaart, nee, een brief waarin hij hun alles zou schrijven. Alles. Er zou wel nooit antwoord komen doch dat hinderde niet. Het deed jezelf misschien al goed om alles wat je dwars zat eens neer te schrijven en zo had het toch zijn nut.
Maar hoe moest hij hen noemen? Oom en tante? Mijnheer en mevrouw? Hoever waren ze nog familie?
Freddie wist het niet.
En toch was het zo doodeenvoudig.
Maar hoe kon Freddie iets weten van het laatgeboren broertje van zijn grootmoeder? Van dat Klaasje, een mooi, fijn jongetje dat de lieveling van zijn moeder en de trots van zijn vader werd. Ja, Frederik Mantel en Hiltje Boon hadden veel plezier aan dit kind beleefd. Een zoon die gemeentesecretaris werd in het eigen dorp. Toen ze voor het huwelijk van Johanna hun huis naast de plaats lieten bouwen om daar met Klaas in te gaan wonen hadden ze dat niet verwacht. Toen ging al hun aandacht naar de woning die zo stevig moest zijn dat hun achter-achterkleinkinderen er nog met genoegen in konden wonen. En Klaas hoopte dat later ook toen hij met de mooie Zwaantje Bijvoet was getrouwd. Doch bij hen waren geen kinderen gekomen. En juist daardoor was hun huwelijk zo intens gelukkig geweest. Zij waren het ook die de familie nog zo'n beetje bijeenhielden door iedereen op te zoeken en zelf uit te nodigen. Bij de meesten gelukte dat aardig; alleen Freek Bootsman zei dat hij het daarvoor veel te druk had en voor Greta waren die mensen ondanks hun positie toch nog te gewoon. Het doodeenvoudige in hen stond haar tegen.
Maar hun enige bezoek dat Freddie zich herinnerde had hij niet vergeten. Een man met zoveel begrip zou dat nu misschien ook

wel tonen. En dat deed Klaas. In een hartelijke brief nodigde hij hen uit om samen een paar dagen bij hen te komen logeren. Wij willen dit heel graag, schreef Zwaantje er nog even bij.
„Dat doen we," nam Freddie zich voor. En, hoewel wat aarzelend, stemde Emmie toe.
En zo reisden ze op een mooie augustusmorgen naar het oude dorp dat hen welkom heette in stralende zonneschijn. Aan de bomen hing rijpend fruit tussen het dichte gebladerte en overal bloeiden bloemen in de perken voor de woningen.
„Wat een heerlijk dorp," vond Emmie toen ze vanuit de bus naar het huis wandelden. „En wat een rust."
„Dit moet het zijn," wees Freddie al spoedig. „Hier in deze boerderij woont ook nog familie van me."
En hij wees naar de hoeve waarin Klaas geboren was. Emmie bekeek die met ontzag. Wat moesten die mensen rijk zijn met zo'n bezit.
Bij de poort voor zijn erf kwam oom Klaas hun al tegemoet. Door de glazen van de bril die hem een enigszins streng aanzien gaf nam hij hen nauwlettend op vóór een glimlach dit veranderde. Ze waren precies zo jong en onbevangen als hij zich had voorgesteld. Dit was dus een kleinzoon van zijn zus Jansje en haar Lieuwe bij wie hijzelf in zijn jeugd zoveel genoten had.
Freddie en Emmie genoten ook. Van de woning waarin iets onzegbaars was dat hen er zich volkomen thuis deed gevoelen, van het erf waarop ze stoeiden en wandelden, van de tuin waar ze samen boontjes plukten voor de maaltijd en van de gesprekken die ze met hun oom en tante voerden.
Ze bleven vijf heerlijke dagen en gingen verkwikt naar Emmies ouders terug.
De trouwdag was rustig, met slechts een kleine groep aanwezigen. Doch ze hadden elkaar voor het leven en dat was hun genoeg.
En toen trokken ze naar de kleine stad in Limburg, naar het onbekende leven daar, naar werk dat hem vreemd was en een huis dat zij niet kende. Maar het zou wennen en beter worden. Al maar beter. En ze spraken samen over later, over het kindje en al wat ze hem of haar wilden geven. En ze spaarden alvast.
Het werk dat Freddie deed bestond grotendeels uit het herstellen van oude woningen. Aan de weinige nieuwbouw die nu, zo

kort na de oorlog, werd gedaan had zijn baas geen deel. Freddie deed het graag. Ook nu had hij weer plezier in zijn werk en zonder contact met zijn ouders vond hij het leven toch heerlijk. Alleen . . . het loon was zo klein. Om dat te verbeteren hielp hij een buurman met het laden van boomstammen op diens vrachtauto waarmee de man ze dan de volgende morgen naar hun bestemming bracht. Aan het eind van zo'n week wisten ze zich dan weer iets rijker dan ze in elk opzicht al waren. Alleen was Emmie wel eens bezorgd.
„Is het echt niet gevaarlijk, dat laden van die stammen in het donker?" vroeg ze eens.
„Welnee schat. Wij kijken goed uit bij wat we doen. Zo zwaar zijn ze niet, hoor. En we doen het met ons drieën."
Toen kwam opeens die avond in december dat het wel gevaarlijk bleek; dat er een stam losschoot terwijl Freddie struikelde en het ding op zijn hoofd kreeg. De anderen sleurden de stam meteen weer terug. Maar toen was Freddie al dood. En hij had twee minuten tevoren nog hartelijk gelachen. De twee anderen begrepen het niet, ze wilden dit erge niet in hun gedachten toelaten. Toch was het zo. En dan . . . dat arme vrouwtje.
Emmie begreep het evenmin. Zo'n groot geluk als het hunne kon niet zomaar opeens voorbij zijn. Dat vrolijke knappe gezicht nooit meer zien, niet meer diep in die stralende blauwgrijze ogen kijken, dat dikke donkere haar niet strelen? Onmogelijk.
„Laat mijn broer maar overkomen," stamelde ze tegen haar buurman. „Hier is zijn adres."
Jaap zou alles wel weer goedmaken voor haar. Dat had die zijn hele leven al voor haar gedaan. Maar dit kon Jaap de Rooi niet meer goedmaken, al deed hij verder alles wat hij vermocht. Dit ging echter langs Emmie heen als een nare droom waaruit alleen de komst van Freddie haar verlossen kon. Pas toen ook haar ouders kwamen begreep ze dat alles voorbij was en kwamen eindelijk de verlossende tranen. Ze namen haar mee terug naar huis, want daar, dicht bij de plek waar ze elkaar voor het eerst hadden ontmoet, daar werd Freddie begraven.
„Hoe moet het met bericht aan Freddies familie?" had Jaap gevraagd toen hij bezig was dit werk te verzorgen.
Emmie schrok op. Ze was juist begonnen het onherroepelijke een weinig te aanvaarden.

„Bericht naar die lui?" vroeg ze wrang. „Geen sprake van. Als die niet zo wreed waren geweest dan leefde Freddie nog. Het is hun schuld. Hun schuld! Versta je!"
„Maar kindje . . ." suste hij. „Het was toch hun zoon . . . Ze moeten toch bericht hebben."
„Goed. Stuur hun dan ook maar een kaart," zei ze ruw.
„Zou een brief niet beter . . ." probeerde Jaap nog, doch ze wendde haar vaalbleek gezicht naar hem toe en zei:
„Helemaal geen brief. Enkel een rouwkaart. Ze verdienen niet beter."
„Vooruit dan maar," zuchtte Jaap. Ik ga er in de loop van de week zelf wel naar toe om dit uit te leggen, nam hij zich voor. Ze zullen het intussen wel al buitenom hebben gehoord en zijn dus vast al voorbereid. En doordat de zondag ertussen valt krijgen ze deze kaart pas maandag, net voor Freddie begraven wordt. Ze gaan daar wel niet heen, maar dan weten ze het tenminste. Zo moet het dan maar. Het is allemaal zo moeilijk met die ruzie. Jaap had zoveel te regelen in deze dagen dat hij niet helder genoeg dacht om zich in allerlei mogelijkheden te verplaatsen.
Want . . . Freek en Greta hadden niets buitenom gehoord.
Hij was het zelf die op zijn kantoor die maandagmorgen de post in ontvangst nam. Brieven, rekeningen, reclame en een rouwbrief. Weinig, zoals altijd op maandag.
„Wie kan er nou weer dood zijn?" prevelde hij onverschillig terwijl hij de enveloppe openschoof.
. . . een noodlottig ongeval . . . mijn innig geliefde man . . . Frederik Willem Bootsman . . . eenentwintig jaar . . . E. Bootsman-De Rooi . . .
„Maar dat is Freddie . . . onze Freddie . . ."
Hij zeeg in zijn stoel neer en herlas de woorden die nog niet geheel tot hem doordrongen. Hoe was dit mogelijk? De datum . . . Hij werd vandaag al begraven. Zijn jongen . . . zijn kroonprins. En hij wist van niets. En Greta evenmin.
Ze waren hard voor de jongen geweest, dat was waar; maar dit hadden ze toch niet verdiend. Waarom geen telegram of telefoon? Zou die meid misschien . . . ? Och nee, zo eentje wist zelf immers niet hoe ze doen moest daar ver van huis. Dus Freddie werd bij haar familie begraven? Fout. Hij had hier moeten

rusten, bij hen als hun tijd gekomen was. In het graf van Greta's familie.
Die slet, die Emmie, ze deed maar. Eerst dreef ze zijn zoon de dood in – wat moest hij daar in Limburg – en nu dit. Zo'n bericht. En dat aan zijn eigen ouders . . .
Had hij toch maar . . .
Freek Bootsman, de wat ruwe, geslepen zakenman, die alles naar zijn hand wilde zetten, hij huilde. Hij had er zo vast op gerekend Freddie te kunnen breken. Nu of later, de jongen kwam wel weer terug als hij genoeg had van die meid en dat leven. Nu was hij gebroken, maar bij hem terug kwam Freddie nooit meer. Hoe moest hij dit aan Greta zeggen?
Doch Greta wist het al. De werkster die driemaal per week het ruwe werk kwam doen was een kennis van een buurvrouw van De Rooi en doordat die drie elkaar de dag tevoren hadden opgezocht was zij op de hoogte van bijna nog meer dan er was gebeurd. Greta had die kans niet gehad. Zij en Freek waren dit weekend met de auto weggeweest naar de Ardennen. Het was daar ook in deze tijd zo wondermooi en vredig. En wat moest je anders zo'n paar dagen doen? De meisjes waren getrouwd, ver van huis, en leidden een eigen leven waar jij je niet in thuis voelde. Freddie gaf je tegenwoordig alleen maar verdriet, al zou die wel weer met hangende pootjes terugkomen, en samen was je gauw uitgepraat.
Vandaar dat ze haar verbijsterd aankeek toen de vrouw meewarig loskwam:
„Och wat toch erg van uw zoon, mevrouw. Ik condoleer u van harte hoor." En met betraande ogen stak ze Greta een hand toe welke deze niet aannam.
„Mijn zoon?" vroeg ze verbaasd. „Freddie, bedoel je?"
„Ja, die is donderdagavond toch onder een boomstam terechtgekomen."
„Hij? Onder een boomstam? Welnee," wees Greta dit af.
Dat kon niet. Dat bestond niet. Haar jongen.
„Toch is het echt waar, mevrouw," hield de werkster aan.
„Jaap de Rooi is er vrijdag al heengegaan en zaterdag zijn ouwelui. Hij wordt vandaag begraven."
„Maar wij weten nergens van," hield Greta nog vol. „Ik ga wel even naar mijn man."

Ze ging zoals ze was in haar japon door de stille tuin, waarin nog enkele bloemen bloeiden en een late roos op ontluiken stond, naar het vrijstaande kantoorgebouw waar ze Freek bezig wist. Onder haar voeten ritselden de bladeren en ze rook de geur van het stervend loof.
Ze dacht echter maar aan één ding: niet dit erge, niet onze jongen.
Doch toen ze Freek voorover op zijn bureau zag liggen met het hoofd op de armen, toen wist Greta genoeg.
En in dat uur hadden ze hun hele bezit willen geven als ze niet alleen dit laatste halfjaar maar ook al Freddies schooljaren nog eens mochten overdoen.
Ze zagen hem als de vrolijke kleuter die zich nooit verveelde, doch altijd bezig was. Ze zagen hem als het verdrietige jongetje dat een strenge terechtwijzing kreeg omdat hij weer een klas moest overdoen, als een bedrukt doende knaap die aarzelend zijn rapport overrijkte en als de jongen van wie ze nog steeds niet geloofden dat hij niet beter leren kon. En toch ... zoals zijn latere collega's van hem zeiden ... wat Freddies ogen zagen dat maakten zijn handen.
Maar dat was hun niet genoeg geweest. Ze wilden meer. Veel en veel meer. En nu hadden ze niets.
„Wat doen we nou vanmiddag?" vroeg Greta zielig toen ze hun eerste verdriet samen hadden uitgeschreid. „Zullen we er nog heengaan?"
„Nee," zei Freek beslist. „We worden er niet voor uitgenodigd en dus gaan we niet. Freddie helpen we er toch niet mee en we worden nog meer kapot dan we nou al zijn."
Greta knikte. Nee, ze hielpen er Freddie niet mee. Integendeel ... hij zou ...
„De jongen zou het misschien zelf niet eens willen," schoot haar nu in gedachten. „Weet je nog van die fiets?"
Freek wist het nog. Het was gebeurd toen ze beslist wilden dat Freddie van de vierde naar de vijfde klas zou overgaan. Daar was hem een nieuwe fiets voor beloofd. Hij bleef echter zitten en van de fiets was geen sprake meer. Tot Freek hem die twee weken later met een genadige toespraak toch cadeau gaf. Tot hun bevreemding wou de jongen het ding niet meer. Hij bleef op zijn oude, te klein geworden karretje doorrijden. Het had

Greta heel wat overredingskunst gekost om hem de nieuwe fiets aan te praten.
En dus bleven ze maar thuis, zaten stil bij elkaar, probeerden deze slag te dragen en dachten aan wat had kunnen zijn.

Vijftiende hoofdstuk

Toen Ria Berger aan Fred vertelde dat hun vakantieplannen niet konden doorgaan, omdat haar mevrouw plotseling overleden was, dacht die ook zoiets. Want van deze vakantie had hij zich zoveel voorgesteld. De twee vorige jaren hadden ze die eerst met Ria's ouders en later met Geert en Luus doorgebracht. Op deze zouden ze, op zijn aandrang, nu samen zijn. Twee hele weken – los van het werk en de gedachten daarover – zouden hen nog dichter bij elkaar brengen dan ze al waren.
Misschien zou het hem nu gelukken dat tijdens hun innigste samenzijn Ria zijn hartstocht ging delen inplaats van die te verdragen. Hij hoopte daar voortdurend op als op een soort ontwaken. Ze was altijd lief en meegaand; ze weigerde hem nooit ronduit doch wat hij verwachtte dat gebeurde niet. En daarom had hij juist van deze vakantie zoveel verwacht.
„Dat je daar de eerste week voor thuisblijft kan ik me indenken," gaf hij toe. „Maar we kunnen de tweede toch wel gaan? Je mevrouw hielp toch al een poos niet meer in de zaak, dus zo'n verschil maakt het niet. En al jullie vakanties waren immers geregeld?"
„Dat wel. Maar ik doe het voor mijnheer. Die steunt helemaal op mij in deze dagen."
„Maar dat doe ik immers ook," zei hij lachend. „Wat heb ik aan mijn vakantie zonder jou? We hadden het deze keer juist zo goed voor elkaar. Ik zag ons samen al wandelen in het Zwarte Woud. En slapen in een klein idyllisch hotelletje."
„Dan doen we dat een ander jaar. En we kunnen nu toch wel eens een weekend uitgaan? Dan neem ik zaterdags vrij."
„Maar de andere dagen dan? Hoe moet ik die doorbrengen?" hield hij aan. „Toe Ria, alleen de laatste week dan." Zijn stem bedelde.
„Dat kan ik echt niet doen," zei ze kortaf. „Ik heb mijnheer beloofd te blijven en dat doe ik. Mijn vakantie komt later wel eens. En jij kunt toch je familie gaan bezoeken en naar je huis

gaan om daar iets te doen? Je zit er anders ook zo graag. Toe Fred . . ."
Ze kwam dicht naar hem toe, haar bruine ogen vleiend op de zijne gericht. Hij nam haar in zijn armen, voelde de zachtheid van haar haren tegen zijn wang, rook de geur van haar speciale parfum, zag haar gave gezicht met de mooi gevormde mond van heel dichtbij en gaf toe.
„Vooruit dan maar. Ik red me wel."
Ze kuste hem voorzichtig.
„Je bent lief."
„Ja, dat weet ik allang," zei hij ongeduldig. Hij had voor dit offer van hem een steviger zoen verwacht.
Familie opzoeken, raadde Ria hem aan. Ja, waarom zou hij niet? Je kon toch niet aldoor in je kosthuis rondhangen of bij Luus en Geert en Ria's ouders, hoe gezellig het daar ook was. Zou hij dan eerst maar naar zijn moeder gaan?
Hij kwam daar toch al zelden omdat hij haar man liever niet ontmoeten wou. En die hing daar op zaterdag altijd rond. Maar nu, op zo'n gewone werkdag, nu trof hij haar vast alleen. Dan konden ze eens wat bijpraten. Er was zoveel dat hij graag weten wou en wat hem nooit verteld was. Er waren altijd de andere kinderen die dit beletten of zijn stiefvader zat mee aan tafel. Hopelijk waren ze nu eens samen. Dinsdag zou dat wel lukken.
Fred deed het. In een kalm gangetje reed hij naar het Brabantse dorpje waar zijn moeder woonde. Hij trof haar alleen. De drie kinderen waren de hele dag naar een school in een naburige stad en ook hun vader kwam in het middaguur niet naar huis.
Langzaam stopte hij voor de aardige woning en bewonderde even de zorg die aan de voortuin was besteed. Nu, in begin augustus, stond alles volop in bloei. Ja, die kerel deed er wel wat aan. Daar kon hij straks bij zijn huis een voorbeeld aan nemen.
Meteen ging de voordeur al open en snelde Emmie naar buiten.
„Oh, Fred jij . . . Wat een verrassing! Wat ben ik blij."
„Is u alleen?" vroeg hij voorzichtig.
„Ja, jongen. Ik ben helemaal alleen. De ganse dag."
„Gelukkig."
„Foei jij."
Maar ze lachte. De gelukkige glimlach die hij vroeger voor

hem alleen wist en waar haar man zich zo aan ergeren kon.
„Kom gauw mee, dan krijg je koffie. Hoe gaat het met jou en met je verloofde? Waarom komt die nooit eens mee? Ik ken haar nauwelijks. Wanneer gaan jullie trouwen? En ga je dan in oom Klaas zijn huis wonen? Fijn dat je mij dat allemaal schreef."
Ja, schrijven deed hij wel maar komen slechts zelden. En dit lag niet alleen aan zijn stiefvader doch ook aan Ria. Die bleef graag in haar eigen familiekringetje. En och, als je daarbij eenmaal goed ingesloten was, dan verlangde je niets anders meer. Die sfeer van hartelijke gezelligheid sloot je volkomen in.
Ze dronken koffie en praatten wat, tot Emmie weer over zijn huis begon dat ze zich nog zo goed herinnerde uit haar gelukkige tijd, zoals ze zei.
Gelukkige tijd? vroeg Fred zich af. Hij kon niet vinden dat ze er nu ongelukkig uitzag. Een goed gevormd figuur, mooi, iets grijzend haar, enkele streepjes naast de ogen en een paar lijntjes van de neus naar de mond. Ze was warempel nog een knappe vrouw, zag hij nu.
Maar hoe was zij toen zijn vader haar zag? En hoe was die zelf? Hij wist nog dat zijn moeder vroeger een trouwfoto van hen beiden had.
„Was u toen echt gelukkig?" vroeg hij zachtjes.
„Meer dan dat. Jouw vader was een man die van kleine verrassingen hield. Van dingen die je blij maakten. Even blij als hijzelf altijd was."
„Ik wou dat ik hem gekend had. Heeft u zijn foto nog?"
„Ja, die ene van ons samen. Wil je hem zien?"
„Graag."
Emmie stond op, trok een la van een kastje open, haalde daar een stapeltje kleren uit, lichtte het papier op dat eronder lag en haalde de foto te voorschijn. Een beetje geknoeid, net alsof hij dikwijls in handen was geweest.
„Hier is ie. Doe er voorzichtig mee."
Fred deed voorzichtig en bezag vol aandacht de twee knappe slanke mensen uit wie hij was voortgekomen.
Emmie een beetje ernstig, maar zijn vader met het donkere hoofd uitdagend geheven en een lach om zijn lippen.
„Een fijne vent," prevelde hij.

„Zeg dat," viel Emmie hem bij. „Om nooit te vergeten."
„Maar vertel mij nou r's moeder: hoe is dat allemaal gegaan? Ik weet van de een dit, van een ander dat, maar een juist beeld van wat er gebeurd is heb ik nooit gekregen."
„Goed, mijn jongen. Eerst nog koffie? En nog een sneetje cake?"
Zo zaten ze knus tegenover elkaar in het eenvoudig ingerichte vertrek waarin een door bomen getemperd zonlicht naar binnen viel. Er was een sfeer die Fred aan zijn eigen voorkamer deed denken.
En nu vertelde Emmie. En Fred zag het gebeuren.
Eerst hun kennismaking bij de nieuw te bouwen huizen. Toen wat verder gebeurde. Tot de avond van het ongeluk dat heel hun overgroot geluk in enkele seconden vernietigde.
Ze was daarna bij haar ouders in huis gebleven; ook later toen hij geboren was. Haar jongen die ze naar zijn vader Frederik Willem had genoemd en die haar nu nog steeds zo hevig dierbaar was. Toen de benoeming van een voogd ter sprake kwam had zijzelf haar broer Jaap daarvoor aangewezen. Doch Jaap weigerde.
„Het moet er één van Freddies kant zijn," vond hij. „Zit er ergens nog niet een oom die daarvoor geschikt is? Jullie zijn daar samen nog geweest. Misschien dat die het wel aanneemt als jij het hem vraagt."
Ze was er toen zelf heengegaan, had er twee vredige dagen doorgebracht en nam de toestemming mee naar huis. Ze waren er daar zelfs blij over.
Omstreeks die tijd kwam er een brief van Freddies vader, die Emmie weigerde te ontvangen. Later gebeurde datzelfde nog een keer. Verder had ze van die zijde nooit meer iets vernomen.
„Waarom nam u die brieven niet aan? Misschien wilden deze mensen wel iets aan u goedmaken?"
„Zij? Die lui?" Een felle blos schoot naar Emmies wangen. „Het is hun schuld dat je vader omkwam. Dat ze eerst boos waren is te begrijpen, dat neem ik hun echt niet kwalijk. Maar dat ze ons huwelijk wilden verhinderen door geld voor jou te betalen, dat vergaf ik hun niet. Evenmin als dat ze je vader naar Limburg lieten gaan. Hij, een vakman met twee rechterhanden. O ja, we waren daar ook gelukkig, maar het was niet nodig geweest. Het is hun schuld. En hij had thuis ook al zo'n onple-

zierig leven gehad omdat hij een geboren handarbeider was en niet studeren wou zoals zijn zusters deden."
„Ik begrijp het," gaf Fred toe. „En toen?"
Emmie vertelde verder. Hoe zij, toen Fred een half jaar was, haar vroegere kantoorbaan weer terugkreeg omdat haar opvolgster ging trouwen. En dat ze dit vier jaar volhield. Toen gebeurde het dat Jaap een tijdelijke collega mee naar huis bracht. Een vriendelijk uitziende man uit Brabant die in de fabriek waar Jaap werkte hielp om iets nieuws aan te brengen. Dat werk zou ongeveer twee maanden duren. Een tijd waarin zijn eerst spaarzaam gebrachte bezoek een dagelijkse avondvisite werd die eindigde in een aanzoek voor Emmie.
„Nam u het dadelijk aan?"
„O nee. Ik dacht niet eens aan trouwen. Maar iedereen raadde het mij zo aan dat ik het tenslotte toch deed. Op voorwaarde dat hij zich met jouw opvoeding totaal niet mocht bemoeien. Jij was en bleef mijn kind."
„En dat is fout geweest, hè?" vroeg Fred.
„Ja, dat is het," gaf Emmie toe. „Mijn man is driftig en geeft onze kinderen wel eens een tik. En dan weten die rakkers weer wie er de baas is en dat ze te ver zijn gegaan. Zo leren ze de discipline die in een ordelijke maatschappij nodig is. Maar naar jou mocht hij niet eens wijzen. En ikzelf gaf je wel eens te veel toe om vrede te houden. Dat maakte mijn man dan weer jaloers en hij vernederde jou met krenkende woorden die ook mij dan weer bezeerden. Het is voor ons allen goed geweest dat jij zo jong ons huis verliet."
„Ja, dat is goed geweest," herhaalde Fred.
„En je huis? Dus je weet verder nog weinig," vorste Emmie nu. „Ik weet nog hoe dol jouw vader op die woning was. Hij hoopte het huis later eenmaal zelf te bezitten. Een onmogelijke wens natuurlijk. Wat moesten wij er mee doen in zo'n dorp? Maar het was zo leuk ingericht en stond daar zo heerlijk vrij op dat erf tussen die bomen. Staan die er nog?"
„O ja. Oom liet alles zoals het was."
„Blijf je bij ons eten?" vroeg Emmie, toen ze eindelijk na enkele uren met een kleine maaltijd en de thee er tussendoor, waren uitgepraat. „Ik deed het maar."
„Goed. Wat krijg ik?"

„Karbonade en sperciebonen met je lievelingsvla toe?"
„Het klinkt heerlijk. En dan zie ik meteen mijn familie weer eens, hè."
Dat is wel eens nodig, vond Emmie. Al zijn de andere drie dan jaren jonger dan Fred, het zijn toch zijn broers en zijn zusje. En nu hij volwassen is zal het tussen mijn man en Fred ook beter gaan. Ik hoop dat het ijzige tussen hen nooit meer terugkomt.
Het weerzien met de andere kinderen was leuk. Hun handdruk, een nonchalante begroeting, het gaf hem het gevoel erbij te horen. Geen vreemde te zijn.
En toen kwam zijn stiefvader binnen. Een grote, forsgebouwde man met een rond, gelijnd gezicht onder dik grijzend haar die hem vrolijk tegemoet kwam.
„Wel Fred, jij hier? Lang niet gezien, zeg. Hoe maak je het? Heb je vakantie?"
Terwijl Fred antwoordde liep de man al naar de keuken om zich te wassen en om te kleden, doch zette door de halfopen deur het gesprek door over het weer, het werk van hen beiden en over zijn tuin. Fred luisterde meer dan hij sprak en volgde intussen met zijn ogen het bedrijvig bewegen van zijn moeder die de tafel dekte en het eten opdiende.
Hoe zal het gaan? dacht hij. Als moeder nu straks maar niet teveel aandacht aan mij geeft en ons samen laat praten, dan loopt het wel rond.
En dat lukte. Tijdens het eten ontstond er een algemeen gesprek met vragen over en weer waar allen aan deelnamen. Daarna gingen de kinderen naar boven om hun huiswerk te maken, Emmie ruimde af en bleef verder in de keuken voor de afwas en zo zaten ze samen tegenover elkaar.
„Een sigaret?" bood de man aan.
„Ja, dat is goed. Rookt u veel?"
„Nooit in mijn werk. Ik doe het alleen als ik thuis ben. En jij?"
„Bij mij is het evenzo."
Er was even een pauze en toen kwam de vraag:
„Ik hoorde van mijn vrouw dat je een huis hebt geërfd en ze heeft me ongeveer aangeduid hoe het was. Dat lijkt me een mooi bezit. Wanneer gaan jullie er wonen?"
Ja, wanneer . . . Fred vertelde nu over Ria en haar werk.

„Maar jij werkt toch ook in Amsterdam? Dan reizen jullie toch samen met je auto. En volgens Emmie kan je ook heel geschikt gebruik maken van een treinverbinding. In Amsterdam zelf woont ook niet iedereen dicht bij zijn werk en ikzelf zit dagelijks een ruim halfuur in een bus voor ik er ben. Nee, wat dat betreft kan je dankbaar zijn. Iedereen krijgt tegenwoordig niet zomaar een huis. En dan nog wel zo een. Daar moet dan nog heel wat geld aan worden besteed. Als het lukt. Maar jullie . . ."
Fred popelde van binnen. Eindelijk eens iemand die hem gelijk gaf en niet zoals bij Ria en haar familie zijn huis en zijn plannen vrijwel onmogelijk vond.
„Maar mijn verloofde is een echt stadsmens," erkende hij eindelijk ook zichzelf een feit dat hij tot nog toe aldoor had weggeduwd. „Ik vrees dat ze alleen daar helemaal tevreden kan zijn."
„Maar ze is er dan toch iedere dag," hield de man aan. „En zo'n rit heen en terug is heus niet altijd onplezierig. Je ziet dan heel wat moois om je heen. Geloof me Fred, doe dat huis niet van de hand, jongen. Het zou je je leven lang spijten."
„Zag u het maar eens," ontviel Fred nu.
„Dat hoop ik. Als jullie eenmaal getrouwd zijn komen je moeder en ik er een keertje logeren. Tenminste . . . als je vrouw ons hebben wil."
Fred glimlachte. Stel je voor . . . Ria, die zo hartelijk was, zou dit niet willen.
Ze spraken verder. Over de tuin, over Albert Prins, over Emmies familie. Een stroom van onderwerpen kwam en ging.
Waarom gebeurde dit vroeger nooit tussen ons? peinsde Fred terwijl hij zijn koffie dronk. Toen maakte elkaars aanwezigheid ons allebei van binnen een beetje agressief. Dat moet echt een soort jaloersheid zijn geweest, waaraan we ontgroeid zijn. Ik vind vader nu opeens een gezellige kerel.
Dit gevoel werd nog versterkt toen die hem bij het afscheid nog even op zijn schouder klopte en dringend zei:
„Doe zoals ik zeg, mijn jongen. Ga je huis bewonen en verkoop het nooit en nooit. Je moeder en ik hebben onze woning ook door alles heen vastgehouden."
En voor de eerste keer in zijn leven zei Fred onder het wegrijden: „Tot spoedig, vader."

En hij meende dat ook werkelijk.
Ik heb nou toch vakantie, laat ik ook r's een keertje langs het huis van mijn zogenaamde grootouders van vaders kant gaan, bedacht hij bij het naderen van een kruispunt. Kan ik het zelf niet vinden dan vraag ik ernaar, maar moeder heeft het zo goed aangeduid dat ik niet missen kan. De rest van onze familie zoek ik in de volgende dagen wel. Ik wil die allemaal, bekend of onbekend, zien en spreken. Niet lang, zo maar even in en uit.
Na enig zoeken kwam hij in een stille laan met aan iedere kant een rij bomen waaraan huizen stonden zoals die in de twintiger jaren vaak werden gebouwd. Huizen met erkers, met korte, brede ramen en een overhellend dak. Aan het grootste daarvan zag hij in de schemering duidelijk zijn eigen naam: F. Bootsman, met nog enkele aanduidingen eronder die hem niet interesseerden. Hier woonden dus de twee oude mensen die hem vroeger wilden verstoten. Een stukje verderop stopte hij en liep even terug. Hij zag nu dat òf het huis te groot was òf het erf te smal, maar dat die twee slecht bij elkaar pasten. En omdat de meest naburige woningen zichtbaar van iets latere datum waren had die grootvader toen zeker nog twee bouwterreintjes aan weerszijden van zijn eigen huis verkocht.
Hij bezag dit, naderbijkomend, met aandacht. Het zag er aanlokkelijk uit met een onderbouw die gezelligheid inhield en een dak dat veiligheid beloofde. Maar wel stond het te kort aan dit laantje. Enkele meters verder was het mooier uitgekomen. Het erf er rondom was geheel tot tuin gemaakt. Een pijnlijk net onderhouden tuin. Als dit vroeger ook zo was had mijn vader hier weinig kans om lekker te spelen, zoals ik vroeger altijd opzij van ons huis mocht doen, peinsde Fred.
Nu kon hij naar binnen in de kamer kijken. Vooraan zag hij in het door een schemerlamp verlichte vertrek duidelijk een piano staan.
Zeker voor mijn tantes, meende hij. Mijn vader was vast niet muzikaal, anders had moe het wel gezegd. Dicht onder de lamp zat een slanke oude dame te borduren, fier rechtop; met het grijze haar strak naar achter getrokken en daar in een vlecht vastgespeld, zag ze er streng en statig uit.
Zijn grootmoeder . . .
Alsof ze zijn blik voelde keek de vrouw op en het was Fred

alsof hun blikken elkaar heel even ontmoetten. Toen sloeg ze haar ogen neer en borduurde verder.
Weer afgewezen, dacht Fred schamper en hij reed naar zijn kosthuis. Morgen ging hij voor een nacht naar zijn eigen woning. Hij zou dan 's avonds bij Albert Prins, samen met Dora, dat hele familiealbum nog eens gaan bekijken en dan samen met haar de graad van verwantschap uitzoeken. Dat kon een interessant uurtje worden.
En als Margriet er dan ook weer eens bij kwam zitten werd het vast leuk.
Maar wat die de laatste paar weken najoeg . . .
Zodra hij binnenkwam, in zijn eigen huis of in dat van haar ouders, stond zij op en vertelde dat ze weg moest naar een of andere vriendin. Of zou het een vriend zijn?
En hij wilde dat niet. Met haar erbij was juist de toestand in beide huizen behagelijk. Voor hem tenminste wel.
Daarom moest hij er toch eens zien achter te komen wat de reden van zo'n vlucht was. Hij had, bij zijn weten, nooit iets gezegd of gedaan dat die rechtvaardigen kon.
Ja, daar moest hij, als het zo eens uitkwam, zien achter te komen.

Zestiende hoofdstuk

Margriet joeg niets na. Zij probeerde alleen haar eigen verdriet te ontlopen.
In het begin, toen het huis van oom Klaas pas leeg was, leek alles zo prettig. Eerst ging ze er enkel heen om rustig haar Franse lessen door te nemen en de boel netjes te houden. Later, voor Fred, deed ze de karweitjes die zijn aanwezigheid meebracht. En dat was nodig ook, gezien zijn nogal slordige aard voor huiselijke dingen. Bovendien was het gezellig om voor een man te zorgen. Fred was ook zo gewoon. Je zat tegenover elkaar aan tafel, dronk samen een kop thee of koffie en intussen vertelde je elkaar wat dagelijkse dingen of je sprak over je werk. Fred kon daar zo boeiend over vertellen.
O ja, het was allemaal erg plezierig. Totdat ze ontdekte naar zijn komst te verlangen, dat ze onverschillig tegenover andere mannen stond en dat ze Ria Berger niet alleen benijdde om haar schoonheid maar dat ze die vrouw al spoedig niet kon uitstaan. Ze voelde dit pas goed na een middag die ze hier met de familie hadden doorgebracht. En toen begreep ze pas heel goed, hoe ze zich daar ook tegen verzette, dat ze verliefd was op Fred Bootsman. En dat nog wel heel erg ook. Zij, de onknappe, wat spichtige Margriet hield van de verloofde van een vrouw als Ria. Het was te gek om aan te denken. Ze was hem de laatste tijd onbewust al zoveel mogelijk ontlopen, nu ging ze dat nog meer doen. Wie weet, misschien ging het op den duur wel over.
Daarom vond Fred, als hij in zijn huis kwam, daar alles keurig in orde en al wat hij nodig had aanwezig. Alleen was dan tot zijn spijt Margriet daar nooit meer bij. En zij maakte het zijn daar juist zo aangenaam.
Maar toen op een avond bij haar vader thuis Dora het oude album nog eens met hen beiden doorbladerde bleef Margriet daarvoor thuis en schoof naast haar aan tafel. Albert was naar een vergadering, de twee jongetjes lagen in bed, dus konden ze

gedrieën de foto's rustig bezien, de namen van de afgebeelde personen achterhalen en hun verwantschap bespreken.
De eerste waren weer die van Frederik Mantel en Hiltje Boon. Fred prentte zich de goed weergegeven trekken van deze voorvader in zijn geheugen. Er lag iets in dat hem aantrok, al had hij tot nu toe nog weinig goeds van de man gehoord. Hij scheen zuinig van aard en nogal heerszuchtig te zijn geweest. Maar als bij Dora naar aanleiding van de andere foto's wat herinneringen loskwamen kreeg hij misschien toch ook wel iets beters te horen. Na hen zag hij afbeeldingen van de oudste zoon Cor, diens vrouw en hun twee kinderen.
„Hebben jullie daar nog wel eens contact mee?" vroeg Fred.
„Helemaal niet," zei Dora. „Ze benne daar met alles wat ze krege en dede erg ongelukkig weest. Alleen hun geld hewwe ze houwen, maar daar kan je nou eenmaal geen geluk en gezondheid voor kope. Oom Cor en zijn vrouw benne niet oud worren en de rest van die tak had blijkbaar genoeg aan zichzelf."
„Jammer," vond Fred. „Wonen ze nog in de Beemster?"
„Allang niet meer. Geen van ons weet waar ze bleven benne . . ."
Aandachtig bezag Fred deze twee. Die wat arrogant uitziende man en het knappe vrouwtje. Het zou zo aardig zijn om straks op een van zijn dagelijkse tochten naar Amsterdam eens door de Beemster te rijden en dan te bedenken dat daar nog familie van je woonde.
Dora wees verder aan.
„Dit ware jouw overgrootouders. Die benne in 1918 allebei aan de griep overleden. Toe leefde de ouwe Frederik nog en dat was een geluk voor hullie kindere, want als Lieuwe en Jansje zijn erfenis in hande kregen hadde, dan was daar wel geen cent van overbleven. Maar zoals ik altijd hoorde moete het heel aardige mense weest hewwe."
„Dat is te zien," gaf Fred toe. „Ik verwacht dan ook niet dat mijn grootvader op hen lijkt."
„Freek?" Dora rimpelde haar voorhoofd. „Ik ken hem zelf niet, maar hier is nog een jeugdfoto van hem en ook een van zijn zuster."
Fred zag twee grote foto's van jonge mensen. Het zusje had een nogal kinderlijk, blij gezichtje. Het was echter de ander aan wie hij zijn aandacht gaf.

Doch van het koele, nietszeggende gezicht viel weinig af te lezen, al deed de strak gesloten mond veel aan die van de oude Frederik denken. Gelukkig vond hij er van zichzelf niets in terug. Dit was dus de man die later uiteindelijk de schuld was van zijn vaders vroege dood en die zich daarna van hem, zijn kleinzoon, niets had aangetrokken, al was dat door de houding van moeder Emmie wel enigszins te verklaren.
Maar toch . . . hij was al jarenlang zelfstandig. Het had anders kunnen zijn.
Of zou de oude Freek een nieuwe afwijzing verwachten en te trots zijn om die te riskeren?
„Leeft die tante IJtje nog?" vroeg hij nu.
„Jazeker. Maar verder weet ik er weinig van. Oom Klaas hield de familie nog een beetje bij mekaar, maar na die zijn dood is het vrijwel over."
Margriet sloeg een nieuw blad open.
„En dit zijn uw eigen ouders?" wees ze Dora twee portretten aan.
„Krek. Dit benne Jan Bierhaalder en Johanna Mantel. Maar zo heb ik ze niet kenne 'oor. Toe ik kwam hadde hullie de middelbare leeftijd al haast te pakken."
„Het waren geen schoonheden," vond Margriet.
Fred was dit met haar eens en glimlachte haar, langs Dora heen, instemmend toe. Zij lachte terug, haar ogen heel even op de zijne richtend net zoals dat in de eerste paar weken geregeld gebeurde. Zo moest het ook zijn. Hij had niet alleen haar kleine zorgen nodig, maar ook haar aanwezigheid.
„Nee, mooi ware ze nooit," gaf Dora toe. „Maar wel erg lief. Ze hewwe mijn een mooie jeugd geven en ik heb ze dan ook tot het end toe met liefde verzorgd . . . Ik lijk erg op mijn moeder éé. Ik heb ook zo'n lang gezicht."
„En gelukkig ook haar aard," vulde Margriet aan.
„Dat hoop ik tenminste. Maar zoals ik later hoorde was het wel gelukkig dat mijn ouwelui wat makkelijk ware, want ze krege in het begin van hun trouwen, toe ze pas hiernaast op de plaats woonde, alle dage vader Frederik over de vloer. Die rentenierde toe pas in jouw huis, maar het werk op de plaats liet hem niet los en hij hield het zelf ook goed vast. Dus kwam ie er alle dage om de lakens uit te delen. Mijn vader hoorde hem dan gemoe-

delijk aan, knikte wat en ging evengoed zijn eigen weg. Want die ging graag met zijn tijd mee, net zoals mijn neef die er nou woont het ook weer doet. Als grootvader dat op heden d'rs bekijken kon . . . de man zou niet wete in wat voor een wereld of ie leefde."
„Over vroeger gesproken . . . Weet u er nog van dat mijn vader en moeder hier eens gelogeerd hebben?" vroeg Fred opeens.
„Of ik dat nog weet," zei Dora rap. „Die ware toe een dag of wat bij oom Klaas en tante Zwaantje te warskip. Ik was toe ook nog jong en laat ik nou smoorverliefd op jouw vader worre . . . Het was dan ook een heel knappe vent 'oor. En hij lachte zo innemend. Net zoals jij het af en toe doet. Hij had echt wat dat je aantrok. Dus je begrijpe wel éé; ik keek alleen naar hem en je moeder was geen tel. Ik heb later ook nog stilletjes effies huild dat ie dood was."
Ze bladerden verder, maar toch keek Fred eerst nog even naar de foto waar Freek op stond. Op wie zou die lijken, dacht hij. Op dit scherpe portret lijkt hij me een houten vent met een pokergezicht. Er valt niets op te lezen. Hoe zou hij er nou uitzien? Die grootmoeder is nog een knappe, oude dame.
„Zo, nou gaan ik effies wat drinkbaars make. Jullie kijke nog maar wat," zei Dora en ze stond op.
Tegelijk schoof Fred nu op haar stoel om dichter bij het album te zijn zodat hij nu naast Margriet zat. Zo boog, al maar namen vragend, zijn hoofd dicht bij het hare. Daardoor rook hij de aangename geur van haar haren, hij zag de gave huid van haar wang en blikte als ze hem antwoord gevend aankeek, recht in het heldere groenachtig grijs van haar ogen. Dit wekte in hem de sterke lust zijn arm om haar heen te slaan en zo haar lichaam nog dichter naast het zijne te brengen. En hij wist meteen . . . deze begeerte van hem was geen vriendschap meer, het was iets veel sterkers dat hem aandreef om zijn gezicht, als toevallig, nog dichter naar het hare te buigen.
Glimlachend keek Margriet hem aan terwijl haar wangen bloosden. En terwijl ze zo nog even oog in oog zaten kreeg zij de gewaarwording als gaf Fred haar een zoen. Schuw trok ze zich terug en toen Dora terugkwam leek alles weer gewoon. Maar nu lag het album dichtgeslagen op de tafel. Margriet wou geen foto's meer zien.

„Zo, nou ken je je familie wel zo'n beetje," meende Dora. „Je ziet het wel éé. Het benne allegaar doodgewone mensen."
„Heeft u de oude Frederik nog gekend?" hield Fred nog even aan. „Ik heb tot heden nog weinig goeds van hem vernomen."
„Och, toe ik jong was kwam ik oftig in zijn kamer bij oom Klaas en tante Zwaantje. Je wete wel, waar nou die meubele staan. Dan zat ik op zijn knie, hij zong een paar liedjes voor me en ik kreeg een koekje of wat snoep van hem. Ik heb dat na zijn dood erg mist," vertelde Dora. „De meeste mense moeste hem niet erg maar het was met opa net als met meer mense en dinge. Alles heb twee kante en het gaat er maar om van welke kant je het bekijke."
Zou het met mijn grootvader ook zo zijn? vroeg Fred zich af. Maar dan houdt die ouwe Freek zijn goeie kant best verborgen.
Hij ging die avond vroeg naar zijn huis terug. Hij had deze keer geen lust om na diens terugkeer nog wat met Albert te praten, hoe graag hij dit anders ook deed. Er zat hem iets dwars dat hij streng naar de achtergrond van zijn gedachten verdrong om daar later eens kalm over na te denken.
Op de terugweg wandelde hij in het koele maanlicht langs de boerderij waar een licht windje omheen speelde en de al bekende geuren naar hem toedreef. En hij bedacht hoe in het begin van deze eeuw, toen Frederik hier nog baas was, bijna alles met handkracht werd verricht. Hoe daar iedereen en ook een meid en een arbeider met soms nog een losse hulp mee bezig was. En nu werd de elektrisch gewonnen melk zo naar een koeltank geleid waaruit het een paar keer per week werd weggehaald om in een zuivelfabriek te Opmeer te worden verwerkt. En de kaasfabriek waar toen dit dorp van vervuld was, was al jaren terug overbodig geworden en tot woonhuis verbouwd.
Ook in de huishouding was alles veranderd. Het nieuwste van het nieuwste was daar aanwezig zodat de huisvrouw, indien nodig, ook in het bedrijf kon bijspringen nu ook daar vrijwel geen personeel meer gehouden werd.
Hij had naar het oude gereedschap gevraagd, doch er was niets meer van aanwezig. Het onderhoud kostte te veel tijd. Tijd die er niet was. Zelfs het grote karnrad, waar eens de honden in draafden, was tijdens een verbouwing van de schuur tot brandhout gehakt.

Langzaam liep hij het pad op naar zijn eigen woning die nodend voor hem oprees. Wat had het bezit van dit huis hem naast geluk toch ook veel zwarigheden bezorgd. Perikelen waar er nu nog een bijgekomen was, dat nu weer hinderlijk naar voren kwam. Want wat was dat met Margriet en hem? Hoe kon zij hem daarnet zo in beroering brengen? Hij was warempel een moment zichzelf niet meer. O ja, hij was van het begin af aan gek op het meisje geweest, maar gewoon . . . om wat ze voor hem deed en om haar vriendelijkheid. En nu opeens dit. Een storm die tot gekke dingen kon leiden.
Maar lag de oorzaak ook niet een beetje bij Ria?
Hield zij hem, sinds hij dit huis had, niet te veel op een afstand? Zij was tot dan toe in hun verhouding altijd een beetje meegaand geweest als hij een herdersuurtje in zijn kamer voorstelde. Ze liep daar wel nooit op vooruit, doch dat hoefde niet. De man moet nu eenmaal voor jager spelen.
Maar in de laatste weken waren ze nooit meer intiem samen geweest. Wel had Ria daar altijd een reden voor opgegeven en was ze even lief en hartelijk als altijd, zodat het leek alsof het toevallig zo uitkwam.
Maar was dat wel toevallig? Zouden die drukte in de zaak, die hoofdpijn en dat verdriet om het sterven van mevrouw Jager wel de echte reden zijn geweest?
Margriet . . . wat had ze mooie ogen. Zo helder en zo open. En dan die kleine, besliste mond. En dat ranke figuurtje.
Maar aan een meisje als Ria kon ze toch niet tippen. En dan verder . . . als je zo'n paar jaar verloofd was, dan liet je je door een ander niet zomaar van de wijs brengen.
Fred ging zijn woning binnen en liep recht door naar de slaapkamer waar hij alles voor een mogelijke overnachting gereed vond. Ja, Margriet verzorgde zijn spullen uitstekend.
Zou zij ook . . . ? Welnee, dat was onmogelijk. Zo'n jong ding had tientallen echte kansen, al was de ware dan nog niet gekomen.
Eenmaal in bed lag Fred nog een poos wakker en keek door een hoog aangebracht raam naar de sterren. Hij moest deze week toch weer eens met Ria gaan praten om tot een soort overeenstemming te komen. Op een woning in Amsterdam hoefden ze nog in geen maanden en misschien zelfs in geen jaren te reke

nen. Althans niet zo een als hoe en waar Ria zich die wenste. En hier stond er eentje kant en klaar. En wat voor een huis! En zo'n dagelijkse rit voor hen samen was toch gezellig. Wie weet lukte het haar naderhand ook wel om hier in de omtrek een baan te vinden. Dan hoefde ze niet eens meer te reizen. En anders maakte ze van de zijkamer een eigen kapsalon. Mogelijkheden zat.
Als ze maar wou . . .
Dan zou moeder Berger ook haar bezwaar tegen de vissersplannen van haar man wel opgeven. Ze vond hem daar nu wel te oud voor en had angst voor reumatiek en verkoudheden door het lange zitten in weer en wind, maar dat praatten ze samen dan wel uit haar hoofd. Het zou de man goed doen om eens een weekendje uit dat besloten kringetje weg te zijn en met nog een paar anderen aan de slootkant of ergens aan de dijk te zitten vissen.
De familie . . . hij was daar geleidelijk aan al heel wat van te weten gekomen. Niet dat hij, die er nog waren, ging opzoeken. Dat niet. Zo'n ontmoeting moet vanzelf ontstaan zoals onlangs met Kees Dekker toen een van diens schapen zijn kop tussen de hekplanken van hun erfscheiding had geduwd en niet meer terug kon. Hijzelf had het beknelde dier niet kunnen vrijmaken en er toen zijn baas bijgehaald. Er was een vlot gesprek op gevolgd met de uitnodiging om even in huis te komen.
„Het is bij ons net konkeltijd en jij hewwe toch vakantie,” voegde Kees er lachend aan toe.
En toen hij, later, na een rondgang door de hoeve en over het erf vertrok zei hij:
„Nou, je verdoene het maar d'rs 'oor buurman.”
Hij had hem verwonderd aangekeken tot die eraan toevoegde:
„Ik bedoel . . . je kome maar weer d'rs effies bij ons aan.”
Dit begreep hij beter en hij knikte bevestigend terug.
Dat bezoek had hem op de gedachte gebracht Albert Prins eens te vragen welke gereedschappen hij voor het onderhoud van het grasveld, de heggen en de tuin nodig had. Het werd tijd dat hij hier zelf eens wat ging doen. In zijn vakantie had dit best gekund. Het was een mooie tijdvulling geweest nu Ria niet weg kon.
Of wou ze niet weg? Als ze ziek werd moesten ze het daar ook

zonder haar doen. Waarom dan nou niet? Zoals ze hem haar onmisbaarheid toen voorhield leek het waarschijnlijk. Maar toch . . . nader bekeken klopte het niet. Iedereen kon gemist worden. Waarom zij dan niet? Zodra ze weer eens samen, dus zonder familie, ergens waren moest hij daar het zijne van hebben. En meteen haar beslissing over dit, zijn thuis.
Hij hoorde hoe de wind door de boom naast het venster speelde en de bladeren deed ruisen. Hij staarde in het oneindige waaruit de sterren hem toeflonkerden en voelde zich, ondanks zijn perikelen, toch gelukkig. De oplossingen kwamen immers altijd uit een hoek waaruit je die niet verwachtte. Alleen dat gevoel voor Margriet . . . Wat moest hij daar mee aan? Dat moest over. Er niet aan denken dus, dat was het beste.
Toch duurde het nog uren eer Fred sliep.
In het huis aan de andere kant van de boerderij wendde en keerde Margriet Prins haar lichaam heel wat keren om en om voor het ook haar lukte om te slapen.
Ze had niet moeten dulden dat Fred zo dicht naast haar kwam zitten. Had die er geen erg in hoe ze hem voortdurend ontliep? Dat ze zijn nabijheid niet wilde. Is zo'n man dan blind? Hij had toch allang moeten ontdekken hoe het met haar gesteld was. Dat ze alvorens zijn bed op te maken eerst even haar gezicht in het kuiltje drukte dat zijn hoofd in het kussen had gemaakt. En waarom ze alle huishoudelijke zorgjes zozeer voor hem wegnam dat hij nergens gebrek aan had?
Al meermalen had ze gewenst dat Klaas Mantel hem het huis maar niet had nagelaten. Dan had ze Fred nooit gezien. Maar nu het wel zo was, nu wist ze heel zeker dat als hij eenmaal met die Ria Berger getrouwd was, zijzelf ergens anders ging werken zodat ze hem vrijwel nooit meer zag.
Nooit had Margriet geweten dat onbeantwoorde liefde zo'n pijn kon doen. Het vrat aan je als een gretig beest.
Eindelijk sliep ze in om na enkele uren weer op te staan.
Na zich gewassen en gekleed te hebben en haar uiterlijk verzorgd schoof ze even met Dora en haar broertjes aan tafel voor een haastig doch gezellig ontbijt. Jacob en Wimjan konden zo heerlijk dwaas zijn. Toen kleedde ze zich voor haar bromfietsrit naar de stad en drukte de helm op haar blonde haren, waardoor een paar lokken langs haar wangen vielen. Dan een haastige

groet, het aanzetten van haar bromfietsmotor en ze reed langzaam het pad naast het huis af, de weg op en zo verder. Bij Freds huis gekomen keek ze even vluchtig naar de ramen. En daar, tussen het gordijn en de planten, zag ze het gezicht van Fred die haar lachend groette. Ze lachte stralend terug en meteen was het moment weer voorbij.
En toen dachten ze allebei:
Waarom deed ik dat?

Zeventiende hoofdstuk

Het was pas de eropvolgende vrijdagmiddag dat Fred Ria weer eens alleen ontmoette. Dat was toen hij haar van haar werk haalde. Op andere dagen ging ze er meestal op de fiets naar toe, maar toen het deze morgen regende had ze de tram genomen. Zij verliet als laatste het huis waarin de salon gevestigd was en wuifde haar collega's na voor ze Freds auto zag staan. Daardoor kreeg hij nog even de kans haar schoonheid en elegance te bewonderen. En zo'n vrouw had hem, een doodgewone analyst uitverkoren om haar man te worden. Hij zou dan ook veel voor haar op willen geven. Alleen niet het hem zo dierbaar geworden huis met alle dingen die erin aanwezig waren.

„Ha, Fred. Leuk dat je mij afhaalt zeg," kwam ze nu opgewekt naar hem toe.

Hij opende de deur voor haar en nam dan zelf plaats in de auto Dan bleef hij met de handen op het stuur even zitten.

„Ja, ik wil eens even met je praten en daar hebben we zo dagelijks weinig kans voor."

„Maar we hebben toch geen geheimen voor mijn vader en moeder?"

„Dat niet. Maar er zijn toch enkele dingen die we samen moeten regelen."

„Goed. En wanneer moet er gepraat worden?"

„Nou. Ik rij wel even naar een rustig plekje."

Ria's houding verstrakte.

„Als het maar niet te lang duurt want dan moeten ze thuis wachten met het eten."

„Dan doen ze dat maar een keer," viel Fred uit.

Ze keek hem verbaasd aan. Wat had Fred tegenwoordig toch? Geen gevlei en gebedel meer om wat toegenegenheid van haar kant, in de auto niet eens een gestolen kusje en nou zo'n toon tegen haar. En dat terwijl hij altijd zo meegaand was. Zou dat allemaal door dat huis komen? Nou, dan werd het tijd dat die

kwestie van de baan ging. Dan werd het tussen hen wel weer zoals vroeger.
„Vooruit dan maar," zei ze met een zucht.
Snel reed Fred nu naar het plekje dat hij voor een rustig praatje in gedachten had en bleef daar staan. Het was aan een stille gracht waarin de boomkruinen weerspiegeld werden.
„Zo. En wat wil je nu zeggen?" vroeg Ria.
„Wanneer trouwen we?" vroeg hij terug.
„Dat heeft geen haast. We hebben het allebei nog goed en ik heb daar voorlopig heus geen tijd voor. Het is zo druk in de zaak dat we nu al handen te kort komen. Onze salon wordt bijna al weer te klein. Over een jaar zal mijnheer Jager weer moeten uitbreiden. En dat zal wel doorgaan, want over een mogelijke verkoop heb ik hem niet meer horen praten. Ik moet er dus voorlopig dagelijks nog wel zijn."
„Dat kan toch evengoed. Hoe . . . dat heb ik je al twintigmaal verteld."
„Vanuit dat dorp van jou? Kom nou Fred, dat is toch te gek. Of het lang duurt of kort, we krijgen bij ons in de buurt ook wel eens een huis toegewezen. Ik hou echt wel een oog in het zeil hoor jongen."
Haar stem vleide, doch Fred ging er dit keer niet op in.
„We hebben een huis," zei hij beslist.
„Maar niet zo een als ik wil," zei Ria op dezelfde toon. „Ik wil een woning zoals die van mijn ouders."
„Maar we kunnen het toch wel een jaartje in die van mij proberen," hield Fred aan. „Bevalt het ons niet, dan ga ik het verkopen, dat beloof ik je."
„Een heel jaar? Ik zie mij daar al . . ." spotte Ria. „En dan ben jij er zo verankerd dat je helemaal niet meer weg wilt."
„Of jij," deed hij vrolijk.
„Ik . . . ? Nooit," bitste Ria. „Voor zoiets had je Luus moeten nemen. Die houdt van buiten wonen en tuinieren, maar daar heb ik geen tijd voor. Met wie trouw jij eigenlijk? Met dat huis of met mij?"
„En jij? Kies je mij of die zaak?" Ook zijn toon was scherp.
Boos keken ze elkaar aan. De ogen fel, de monden strak.
„Dat huis! Dat huis!" riep Ria nu opeens. „Ik wou dat die oom van jou het had verbrand inplaats van het aan jou te vermaken.

Voordat je het kreeg was alles zo mooi tussen ons, maar na die tijd is alles veranderd en jij nog het meest."
„Ik?" Fred keek haar verwonderd aan. „Ben ik veranderd? Dat bestaat niet."
„Toch is het zo. Als we samen zijn is het net alsof je niet meer om mij geeft. Het zit hem maar in kleine dingen en toch is het zo. In je manieren, je stem . . . in alles. Ik denk soms dat je meer om die woning geeft dan om mij."
„En jij meer om mijnheer Jager en zijn zaak."
„Je bent toch zeker niet jaloers, Fred?"
„Ik niet, maar jij. En dat op hout en steen."
Ze kibbelden door, soms rustig met dan weer een felle uitschieter die hen opjoeg tot krenkende woorden.
Hij stelde voor hoe hij dacht dat het worden moest en zij hield hem haar toekomstverwachting voor. Een hoop die hij eens gedeeld had.
En de tijd ging door. Het was een klokkenspel dat hen naar het heden terugriep.
„Oh zeg, we moeten nodig naar huis," schrok Ria op. „Moeder wacht al minstens drie kwartier."
En wij zijn nog even ver, dacht Fred grimmig. Wat moet het zo worden met ons? Ria geeft niet toe en ik evenmin.
„Vooruit dan maar," zei hij moedeloos en zette de motor aan. Zwijgend reden ze naar Ria's huis waar ze met ongeduld en licht verwijt werden opgewacht.
„Hoe komen jullie dan zo laat?" vroeg mijnheer Berger tenslotte. „Hadden jullie pech of was er ergens oponthoud?"
„Niks daarvan," zei Ria. „Fred wou met mij praten. Nou, we hebben gepraat."
„En moest ik daarop wachten?" zei mevrouw ontstemd.
„Het gesprek liep wat uit," bekende Fred.
Niemand kon aan Ria's volle stem horen dat die nog geen halfuur geleden schel en snauwend had geklonken, evenmin was aan de diepe zachte stem merkbaar dat die luid en nors was uitgeschoten. Al aten ze weinig, ze deden toch alsof en vermeden het om elkaar aan te zien. Vandaar dat Ria's vader na de maaltijd besloot om zijn vrouw met de afwas te helpen, dan hadden de jongelui nog even tijd voor zichzelf. Die benutte Ria dan ook onmiddellijk. Ze had onder het eten al weer een nieuw

plan ontworpen. Toen Fred de krant wilde grijpen om die voor zijn vertrek nog even in te zien vroeg ze zachtjes:
„Zeg Fred, heb jij er enig idee van hoeveel jouw huis met de grond precies waard is? Ik weet van die dingen totaal niets af en het lijkt me toch aardig om daar iets over te vernemen."
„Bedoel je een geschatte waarde?" ging hij er stroef op in.
„Nee, wat je er tegenwoordig voor krijgen kunt."
„Daar heb ik nooit over gedacht."
„Ook niet hoeveel die meubelen en serviezen kunnen opbrengen?"
„Waar is dat voor nodig?"
„Wel, voor de verzekering. Die moet niet te laag zijn."
„Dat is ie niet."
„Zoiets kun je nooit zeker weten. Als je daar eens een makelaar en een deskundige bij haalt? Dan heb je nooit een strop. Die mensen weten het precies."
„Daar heb je gelijk in," gaf hij toe.
Ria popelde van binnen. Als Fred hier opinging en hij hoorde de bedragen en voegde die bij elkaar, dan ging hij allicht anders denken. Helaas voegde hij er meteen aan toe:
„Maar daarom doe ik het nog niet."
„Hè Fred, doe het dan voor mij," vleide ze zachtjes. „Als je weet wat het precies waard is ga je er misschien anders over denken."
„Allemaal onzin," zei hij kort. „Ik hoef niet te weten hoeveel een ander er voor over heeft. Ik houd het immers zelf."
„Dat heb ik genoeg van je gehoord," verweet ze hem dit antwoord. „Maar daarom mag ik het toch wel weten."
Fred ging hier niet eens op in. Hij opende de krant en deed alsof hij las. Jazeker . . . hij zou een makelaar en een handelaar inschakelen; die mensen zagen er natuurlijk een stuk van hun boterham in en lieten je niet los. Allemaal tijdverspilling, hij trapte nergens in, ook niet in Ria's plannen.
„Vroeger was je nooit zo koppig," hield Ria nog aan. „Toen overlegden we alles samen en hadden onze plannen al helemaal klaar. En nou . . ." Haar stem stokte.
„Dat waren dan altijd jouw plannen," zei Fred. „En ik gaf me daaraan over. Maar dit zijn de mijne en daar wil je niet in meegaan."

„Omdat ze onmogelijk zijn.”
„Enfin, je denkt er nog maar eens over,” stelde hij voor.
„En jij eveneens,” beet Ria terug.
Fred ging die avond vroeg weg zonder dat Ria hem zoals gewoonlijk uitgeleide deed en ze elkaar in de gang nog even een kus gaven. En hij ging niet naar zijn kosthuis, maar reed de stad uit en vandaar naar zijn dorp en zijn huis. Hij had Dora daar wel niet over opgebeld, maar vanavond had hij al gegeten en morgenochtend had ze voor hem nog wel een boterham en een kop thee over. Het was heerlijk rustig om zo in de vallende avond langs de wegen te gaan. Er kwamen weinig tegenliggers zodat hij volop kon genieten van het schoons om hem heen. De kleur der verre dorpen verdoezelde in de ijle nevel die opkwam en het water in de sloten leek donker in de schemering en lag stil tussen de groene randen. Het vee liep langzaam grazend naar de rustplaats voor de nacht achter in de weiden en schapen lagen rustig herkauwend te wachten op de nacht.
Deze vredige beelden maakten Fred ook rustig, al zag hij voorlopig nog geen uitkomst in deze kwestie.
Maar toegeven deed hij nooit. Hij zou zich na deze weken nooit meer op zijn plaats voelen in zo'n huis als dat van Ria's ouders. Hij had iets geproefd waaraan hij verslaafd dreigde te worden. De heerlijke vrijheid van het buiten wonen, naast een echte boerderij met prettige buren. Dat liet hij nooit meer los. Liever nog liet hij . . .
Nee, dat toch niet. Ria en hij hadden elkaar eenmaal gekozen en zo'n band maakte je na zo'n lange tijd niet meer los. Tenminste niet om iets wat als hun eerste meningsverschil kon worden beschouwd, want een echte ruzie was het niet eens geweest. De tijdelijke verkoeling die ze hem verweet zou wel weer overgaan als ze het samen eens werden. Die verkoeling was er van haar kant trouwens ook, al scheelde dat hem tegenwoordig niet veel. Nee, van zijn kant mocht er geen breuk komen. Dat deed men niet. Dat zou schoftig zijn. Met wat praten en schipperen kwam het wel weer goed.
Ook in het dorp was alles vredig. Hij groette een paar mensen met wie hij al kennis had gemaakt en stopte dan op de berm voor zijn woning. Dan ontsloot hij de voordeur en liep rechtdoor naar de keuken waar hij Margriet bezig vond een paar

bloemvazen te vullen met asters en dalia's uit zijn eigen tuin. Ze kwamen van planten die de vorige bewoners nog hadden gezaaid en gepoot. Het lamplicht deed haar haren glanzen en hij vond haar er anders uitzien dan gewoonlijk. En hij zag tegelijk dat ze dit keer niet een spijkerbroek droeg, maar een kort jurkje van glanzende stof waarin het klokkende rokje haar slanke figuur goed tot zijn recht deed komen.
„Goeienavond," groette hij verrast.
Ze groette terug en ging dan verder met haar werk.
„Wat ben je mooi," prees hij.
„Ja, ik moet naar een fuif. Maar ik wou eerst je huis nog even in de bloemetjes zetten," zei ze zonder hem aan te zien.
Even stond hij naast haar en zag toe hoe haar vingers de kleuren schikten. Met haar hoofd een weinig opzij bekeek ze het resultaat.
„Ja, zo is het goed," constateerde ze dan voldaan.
„Waar moeten ze staan," bood hij zijn hulp alvast aan.
„Tja . . . de keus is nogal beperkt, hè," zei Margriet. „De dalia's maar in de zijkamer en de asters in je slaapkamer. We kunnen ze toch niet zomaar op de lege vloeren zetten en de vensterbanken zijn al bezet."
„Wel jammer dat het nog zo'n kale toestand is," zuchtte hij. „Ik had het graag anders gewild."
„Dat komt nog wel," zei ze stug, nam tegelijk een bloemvaas op en bracht die weg.
Fred bleef nog even staan. Margriet had gemakkelijk praten. Die was hier graag. Die vond het een aardig huis. Wat zag ze er leuk uit in deze kleren. Je zou haar zo . . .
Margriet kwam terug en wilde nu de vaas met asters wegbrengen, maar hij hield haar tegen.
„Dat doe ik," zei hij beslist.
Zij ging er op in.
„Niks daarvan. Dan had je dat maar eerder moeten doen. Maar jij staat maar en staat maar."
Meteen stak ze haar hand uit die hij vastgreep.
„Laat los," beval ze met haar ogen nog steeds afgewend.
„Wie is er hier de baas, jij of ik," deed hij stoer.
Nu keek ze op en hun blikken verloren zich in elkaar.
In een enkel gebaar nam hij haar in zijn armen en nam haar

mond in een haar eindeloos schijnende kus. Toen hij eindelijk haar mond losliet keek hij een hele poos naar haar gezicht en sprak tederder liefdewoordjes dan zij ooit had gehoord. Als betoverd bleef ze staan, gevangen in zijn armen en luisterde naar de man die voor haar de enige op de wereld was. En weer kuste hij haar en nog eens tot zij die hem met dezelfde hartstocht teruggaf.
Toen nam hij haar op en droeg haar naar zijn slaapkamer terwijl zij willoos in zijn armen lag. En daar voerde hij haar mee in zijn roes van hartstocht die door haar beantwoord werd. En hij wist tegelijk . . . zo moet het zijn. Dit is het ware. Wat ik tot nu toe beleefd heb was slechts surrogaat.
„Hou je van me?" vroeg hij dwingend toen alles voorbij was.
Margriet knikte.
„Hoelang al?"
„Van het begin af aan," bekende ze.
Daarna stond ze op, bracht haar kleding in orde en viel ruw uit:
„Maar wat we nou deden was gemeen. Dat mag nooit meer gebeuren. Nooit meer. Versta je."
„Maar hoe moet dat dan?" vroeg hij hulpeloos.
„Heel eenvoudig. Als jij getrouwd bent zoek ik buiten het dorp een andere baan. Dat was ik toch al van plan. En verder wil ik jou niet meer zien. Het liefst helemaal nooit meer."
„Maar liefje," zei hij zacht. „Zo hoeft het toch niet."
„Dat hoeft wel. Ik wil geen verhouding met de man van een ander. Dat van nu had nooit mogen gebeuren."
„Het was mijn schuld," probeerde hij te troosten.
„En de mijne," bekende ze eerlijk.
Dan ging ze weg. Hij hoorde haar korte, driftige stappen over de vloer van de bijkeuken gaan, daarna het openen en sluiten van de achterdeuren en het geraas van haar brommer. Ze was hier dus zomaar even aangegaan om voor bloemen te zorgen, zoals wel vaker gebeurde als hij er niet was. Dan vond hij er later een stukje gezelligheid. Dus nu was zij zo naar die fuif toe gestoven. Dat was wel goed, ze mocht niet zo ontredderd als zij nu was bij Albert Prins binnenkomen. Dora zou dadelijk ontdekken dat er iets met haar gebeurd was en haar gevolgtrekking maken. Daarginds tussen al die andere jonge mensen viel haar

toestand niet zo op. En ze had onderweg nog even tijd om zich te herstellen van haar schuldbesef.
Want Margriet had gelijk. Het was gemeen. Tegenover Ria en tegenover henzelf. Maar hij hield van haar, ondanks zijn tegenstreven was hij al wekenlang van haar vervuld geweest. Zijn liefde voor dit bezit was bovenal liefde voor Margriet. Alleen had hij dat zichzelf nooit willen bekennen.
Maar Ria dan? Zo'n lange verhouding en nu dit. Nu leerde hij pas de volmaakte liefdesdaad kennen. Hier was geen koelheid, geen slecht verborgen afweer, maar een algehele overgave.
Hij keek naar de asters die haar handen hadden geschikt en drukte er even zijn gezicht tegenaan. Hoe moest het nu verder? Ria mocht hij niet opgeven en Margriet kon hij niet opgeven.
Fred liet de asters op de aanrecht staan en liep naar buiten in de rust van het maanlicht dat hem huis en hof toonde in een zachte gloed. Ieder voorwerp en elk wezen zag er nu milder uit dan in het daglicht. Hij rook al de rijpe geur van de naderende herfst, vermengd met die van verbrand tuinafval. Langzaam dwaalde hij over het grasveld naar de erachter liggende moestuin en daar over het middenpaadje naar de tijdens de verkaveling overgebleven sloot, die in enkele bochten achter de huizen kronkelde en een afscheiding vormde tussen Freds erfje en de bunders erachter liggend land van Kees Dekker. Leunend tegen een knotwilg bleef hij daar even staan en beluisterde de geluiden die tot hem kwamen. Het waren er slechts weinige en zo vaag en ver dat ze als het ware bij de stilte hoorden. Ze verstoorden die tenminste niet.
Wat zou Margriet nu doen? Och, misschien lachte en genoot ze wel met de anderen mee. Zij hoefde hier niet zo zwaar aan te tillen als hij.
Dus als hij straks getrouwd was ging zij hier vandaan. En voordien zou ze elke ontmoeting met hem wel vermijden. En hijzelf moest haar die zoveel hij kon besparen. Maar van haar kleine zorgen zou hij evengoed genieten en daarbij denken aan wat had kunnen zijn.
Hij stelde het zich even voor. Doch dan kwam het gezicht van Ria ertussen die bij hem hoorde, die niet weg te denken was.
Hij ging terug en dwaalde dan nog even onder de bomen door

naar voor tot bij de weg. Daar ging een fietser voorbij en even later een auto.
Zou hij nog even naar Albert en Dora gaan? Die zaten wel met hun beiden naar de televisie te kijken. Dan keek hij even mee tot het laatste nieuws. Dat gaf aan je gedachten een ander doel. Als ze hier voorgoed woonden nam hij ook televisie. In kleur als Ria dat ook wilde. En dan? Hetzelfde vreedzame gekrakeel als bij haar ouders over waar wel en waar niet naar gekeken werd. Hij zou natuurlijk sport willen zien en zo nu en dan een film. Maar Ria had een heel andere voorkeur.
Gingen ze dan ook kruis of munt doen net als daar?
Hij kon het zich niet voorstellen en zou toch maar naar bed gaan. Morgen was het zaterdag en was meteen zijn vakantie voorbij. De twee weken waarvan hij zich al maandenlang zoveel had voorgesteld en die hij nu doelloos verlummeld had met heen en weer reizen en thuiszitten. Je was blij dat je weer aan het werk kon gaan. Hoe zou het morgen gaan? In de loop van de ochtend moest hij maar naar zijn kosthuis gaan en dan tegen de avond naar Ria die voor de zondag zelf wel een programma had uitgedokterd. Net als voorheen, voor hij deze woning had.
Hij wendde zich om en bekeek het huis. En hij dacht . . .
Waarom heeft oom Klaas dat juist aan mij nagelaten?

Achttiende hoofdstuk

Klaas Mantel was zes jaar toen het huis werd gebouwd en behalve tijdens zijn schooluren was hij daar dagelijks bij aanwezig. Thuis, op de boerderij, was in de laatste maanden zoveel veranderd dat er niets meer was om het leven daar voor hem aantrekkelijk te maken. Vooral niet in de zomermaanden als het vee in de wei liep. 's Winters, als de koeien op stal stonden, was het heel anders. Dan kwam er weer iets van de bekende sfeer van vroeger terug. Dan was het huis weer vol drukte en gerucht. Ja, hij had de gezelligheid van het zelf kazen en karnen erg gemist. Gelukkig voor hem had zijn vader Azor de karnhond gehouden, die nu geheel en al zijn geduldige speelmakker werd. Van Jansjes vertrek uit het ouderlijk huis had hij weinig gemerkt. Daar was hij nog te jong voor geweest. In zijn ogen was zij de hartelijke vrouw die bij de vrolijke Lieuwe hoorde. Als zij te gast kwamen heerste er thuis altijd een feestelijke stemming waarin zelfs vader werd meegesleept. Nooit lachte die zo vrijuit als wanneer Lieuwe er was met zijn dwaze verhalen. Wel herinnerde hij zich nog goed dat Jan Bierhaalder bij hen kwam en zoveel aandacht van Johanna vroeg dat die dan geen aandacht meer aan hem besteedde, iets wat hij haar dan wel een klein beetje kwalijk nam. Vader en moeder wilden altijd maar dat hij rustig was, maar met Johanna kon hij heerlijk stoeien en spelletjes doen. En ze was altijd lief en geduldig. Soms beschouwde hij haar als de moeder die al zijn vragen kon oplossen en zijn noden verhelpen. En toen kwam daar opeens die Jan Bierhaalder en eiste haar op.

Doch daarna kwam het huis. Hij zag hoe er eerst op de boomgaard naast de plaats een paar vruchtbomen werden gerooid en hoe die plaats toen werd gegraven en een voeting gelegd. En toen verrees het huis. Van buiten zoals zijn vader het wilde en van binnen volgens zijn moeders wensen. En weer later kwam de bruiloft van Johanna en Jan. De eerste van de vele die hij in zijn leven zou meemaken. Een feest dat 's middags, direct na het

sluiten van hun huwelijk begon en de volgende morgen half-negen was afgelopen. Hij had toen een wens moeten opzeggen en dat tot trots van moeder Hiltje heel vlot gedaan.
Daarna was zijn hele leven veranderd. Van toen af woonden ze in het nieuwe huis waarin hij boven, achter de dakkapel, een eigen kamertje had waarin alles wat van hem was geborgen kon worden, tot zijn kleren toe. Wat was hij daar gelukkig geweest met zijn boeken en zijn knutselwerkjes. Ook later, toen hij naar de H.B.S. ging, was dat een genot omdat hij er rustig zijn huiswerk kon maken als moeder en vader bezoek hadden, wat dikwijls gebeurde, want de familie was groot en hun kennissen waren overvloedig.
Doch nooit zou vader verzuimen tweemaal per dag naar de boerderij te gaan om Jan Bierhaalder raad en aanwijzingen te geven. Hij kon zich gewoon niet voorstellen hoe die jongen – Jan was intussen al dertig jaar – het zonder dat zou redden in zo'n groeiend bedrijf. Want Jan had er een stuk land bijgekocht en daardoor zijn veestapel vergroot. Frederik had dit eerst niet nodig gevonden. Hijzelf en ook zijn vader hadden het altijd zonder gered. Maar als Jan dit nu graag wou . . .
En Jan wou dit alles bewerken met slechts één arbeider. Dat mocht dan een flinke kerel zijn maar wat doe je met zijn tweeën op zo'n bedrijf. Daar moest nodig nog een jong knechtje bij. Maar daar dacht Jan niet over. Evenmin als Johanna met haar twee jonge kinderen er aan dacht om een flinke, inwonende meid te nemen. Niks daarvan, een dagmeisje vond zij allang genoeg. En volgens hen ging dat prima door het nieuwste gereedschap.
Ja, zijn jeugd was een vreedzame tijd. Alles in het dorp ging zijn oude gangetje. Er was een voor- en een najaarskermis, er was in de zomer een hardrijderij op fietsen over een stuk weg dat precies een kilometer lang was en daar kwamen zelfs wielrijders uit Amsterdam voor naar het dorp. En na deze wedstrijd volgde er nog ringsteken voor iedereen met bal na; er was een floraliatentoonstelling; och ja, er was 's zomers genoeg te doen. En 's winters de zang-, gymnastiek- en toneeluitvoeringen. O ja, er was vertier genoeg.
Klaas deed er aan mee. Niet dat hij ergens in vooraan ging. Nee, hij behoorde meer tot het beschouwend gedeelte. Zijn

aandeel bestond meestal in een klein rolletje of een helpende hand.
Hij verlangde er niet naar om veel van huis te gaan. Vooral toen hij ouder werd, van school was en op het gemeentehuis werkte. Waar was het prettiger dan bij moeder Hiltje? Daar trof hij soms Jansje en Lieuwe of soms ook IJtje en een enkele keer Freek. En zo druk en vrolijk de eerste drie waren zo stil was die. Je kon het bijna stug noemen. Maar hij hield zichtbaar veel van moeder. Zij zat dan in de ruime voorkamer in haar armstoel met naast zich de theetafel zodat ze zonder veel inspanning ieder van het nodige kon voorzien.
Haar grote, donkere ogen richtte zij dan beurtelings op elk die in de kamer was, zo dat niemand zich misdeeld kon voelen. Ieder kreeg haar aandacht. De kamer zelf leek intiem door de donkere stoffering en de diepe glans van de meubelen waarbij de lange boven de vensterbank opgenomen vitrages helderwit afstaken. Bloeiende planten gaven aan dit alles ook nog een indruk van vrolijkheid.
De familie uit de Beemster zag men zelden. Daar was altijd ziekte of rouw. En de zoon van broer Cor was een in zichzelf gekeerde jongen die al gauw helemaal niet kwam. De dochter wel, maar die leek lichamelijk wel nooit in orde. Nee, dan IJtje en de dochtertjes van Johanna. Allemaal even lief en vrolijk.
Zijn werk beviel hem goed en hij leerde verder, in de hoop om zelf ook eenmaal gemeentesecretaris te worden. Gelukkig had vader daar vrede mee. Tenslotte hoefde niet iedere boerenzoon ook weer boer te worden.
En toen brak er eensklaps een wereldoorlog uit die alles dreigde te veranderen, zelfs het leven in een neutraal gebleven land. Er werden nooit gedane voorschriften bekend gemaakt, het leger werd opgeroepen, er kwam distributie, je kwam op het raadhuis handen te kort. En de damesmode werd bijna frivool door een vreemd kapsel, korte, wijde rokken en witte kousen en schoenen. Het was in die jaren dat moeder Hiltje ziek werd en enkele weken later stierf. Voor hemzelf stortte toen een stuk van zijn wereld ineen. Wat moest hij zonder zijn moeder? Nooit werd het leven meer zo mooi als het was geweest. Maar je hield je goed. Niemand van de rouwende familie hoefde zijn ontreddering te weten. Ze hadden allen genoeg aan hun eigen verdriet.

Want haar heengaan was te vroeg. Veel te vroeg. Maar je droeg het. En je accepteerde de flinke, jonge huishoudster die daarna in huis kwam.
Het was een keurig mens die vaak een jongere zuster op bezoek kreeg. Eerst vond hij dat idee van nog een vreemde in huis niet prettig. Tot hij het zusje zag . . . Toen stond zijn hart even stil en mocht Zwaantje Bijvoet vaker komen, al was het voor altijd. Kort voor zijn keuring als militair werd hij plotseling ziek. Hard ziek zelfs. En tot ieders vermaak zei de dokter dat het mazelen waren. Hij was daar pas van genezen toen hij gekeurd moest worden. Een lang, broodmager, stumperig mens. Ze wilden hem niet. Klaas werd afgekeurd en zijn gewone leven kon doorgaan. Ook zijn vriendschap met Zwaantje, die àl inniger werd al was zij nog wat jong. Ja, zijn leven kreeg weer glans in die dagen. Dikwijls stond hij voor de spiegel en bekeek vol aandacht zijn gezicht. Een doodgewoon rond gelaat, de huid hier en daar iets beschadigd door jeugdpuistjes, blauwe ogen, een tamelijk forse neus en een sterke mond; zijn blonde haar viel in een soort lok over zijn voorhoofd. Het doodgewone gezicht van een doodgewoon mens. Even gewoon als zijn bestaan zonder Zwaantje zou zijn. Zo leefden ze enkele jaren met hun vieren in het huis dat toch nog de trekpleister van de familie bleef.
Dit veranderde toen de kwaadaardige griep Jansje en Lieuwe wegnam en hun kinderen vertrokken. En toen enkele jaren later – na zijn huwelijk met Zwaantje – ook Frederik stierf werd het nog leger om hem heen.
Maar toen droomde Zwaantje over een klein jongetje dat op het erf zou spelen en evenveel van dit bezit zou houden als zij dit deed.
Het was in de twintiger jaren dat Jan Bierhaalder een auto kocht en Klaas zich daar tenslotte ook aan waagde, al werd hij nooit een prima chauffeur.
En de tijden veranderden snel. Wat jarenlang als doodgewoon werd beschouwd was nu opeens verouderd. Er kwam elektriciteit voor huis en bedrijf, er kwam gas en waterleiding en er kwam ook een wereldcrisis die het bestaan zeer moeilijk maakte.
Maar al die jaren klonk het lawaai van het laden, lossen en stomen der melkbussen bij de kaasfabriek over de buurt waar

Klaas woonde en het was hun zo gewoon dat het hun veel later vreemd was toen ze het niet meer hoorden.
Want het leven ging door. Ook tijdens de vijf jaren van een gruwelijke oorlog. Maar wat er ook gebeurde, Klaas en Zwaantje deden hun werk, vervulden de plichten die hun tijd meebracht, dobberden zachtjes mee en leefden hun eigen leven. Toen het kind dat zij zozeer begeerden niet kwam, berustten zij daarin en genoten mee van die van Jan en Johanna. IJtje trok weg en vervreemdde van hen en van Freek werd weinig vernomen. Het ging hem goed en dat was genoeg, vond hij. Ze kregen bericht over de geboorte van twee dochtertjes en later van een zoon en dat was alles. Tot Klaas het toch nodig vond hun eens een bezoek te brengen. Op zijn verzoek te mogen komen werd welwillend geantwoord en zo reden ze in de auto – hun derde – naar hen toe. Het nog nieuwe huis vond Zwaantje mooi en doelmatig en ze maakte meteen Klaas warm voor een nieuwe slaapkamer en een bijkeuken achter het hunne.
„Zeg Freek, maak jij effies een schets," bedelde ze al op de eerste avond. „Het is jouw vak en dan wordt het meteen goed."
„Voor zulk werk heeft mijn man een eigen tekenaar," zei Greta effen.
„Och kom, het hoeft geen kastemakerswerk te wezen," hield Zwaantje aan. „Als we maar zien kenne hoe het worre moet."
„Kijk, dan doen we het zo." Freek had potlood en papier gehaald en tekende eerst de plattegrond van het huis met de indeling ervan. In volle aandacht volgden Klaas en Zwaantje het vlugge bewegen van zijn vingers.
„Hier achter de huidige slaapkamer bouwt u die andere, en achter de keuken de bijkeuken. Maar daartussen houdt u een soort steeg naar de achterdeur, die – als u dat beter lijkt – overdekt kan worden. En omdat de slaapkamer op het oosten ligt bouwt u die verder naar achter uit dan de bijkeuken. Dan houdt u daarachter een zonnig terrasje over."
„Oh, wat heerlijk." Zwaantje zag het al. „Moge we dat papier meeneme?"
„Dat spreekt vanzelf." Freek maakte er een rol van en gaf hem haar.
„En kom jullie dan d'rs bij ons kijke als alles klaar is?" noodde ze hen alvast uit.

„Och, dat zien we dan wel weer," zei Greta.
Ze zagen de meisjes; knappe, intelligente blondjes en Freddie, hun mooie, donkere zoon die al dadelijk een zeer warm plekje in hun hart kreeg. Hij was de zoon die zijzelf zozeer hadden begeerd. Door hem maakte Klaas echter een grote fout bij Greta met te zeggen: „Wat lijkt dat kind veel op mijn zuster Jansje."
Greta haakte daar direct op in.
„Dat kan niet. Freddie lijkt precies op mijn vader."
Doch waar hij ook op leek, de jongen had twee heerlijke dagen door deze oom en tante. Dagen die nooit herhaald werden. Greta wenste geen contact met Freeks familie. De hare stond veel hoger in haar ogen. Deze man, die oom Klaas, dat ging nog wel, dit was een heer met een positie al deed hij erg gewoon, maar die tante met haar dialect...
Dus al kwam de verbouwing voorspoedig tot stand, de ontwerper zag het niet.
„Jammer," zei Zwaantje toen er op hun verzoek weer een ontwijkend antwoord kwam. „Ik zou Freddie hier zo graag r's op het erf zien spelen."
Dora Bierhaalder was hun echter een grote troost. Die kwam en ging voortdurend bij hen in en uit. Want terwijl de anderen trouwden bleef zij bij haar ouders en zorgde voor de huishouding toen Johanna dit niet meer kon.
Maar tegen de avond ging ze altijd een uurtje naar Zwaantje en babbelde wat met haar of keek hoe de schijn van het altijd brandende theelichtje over haar handen viel en haar trouwring deed glanzen.
Een ring die zijzelf nog niet bezat en die ze pas kreeg toen ze na haar moeders dood met Albert Prins trouwde.
Maar toen woonden haar oudere zuster en Kees Dekker al op de plaats.
Want de tijd ging zo vlug. Maar het was nog veel eerder dat Klaas een brief van Freddie kreeg over diens huwelijk en Zwaantje de kans kreeg hem met zijn bruid over het erf te zien dwalen.
Pas later, toen Freddie zelf al dood was, werd haar wens om daar een klein jongetje te zien, vervuld.
Het kwam door een brief van Emmie dat Klaas het plan opvatte

om deze knaap gedurende de zomervakantie te logeren te nemen.
„Als die stiefvader werkelijk zo nors voor kleine Fred is, dan vind ik dat onze plicht," vond hij. „Ik ga hem dadelijk halen. Daar ben ik tenslotte voogd voor."
„Best. En ik ga mee," nam Zwaantje zich voor. „Dan hoor ik onderweg wel waar hij het liefst mee speelt. Er staat boven nog heel wat van jou van vroeger, maar als hij liever wat aars wil . . . De tijde benne veranderd en het speelgoed ook."
Maar Fred was er gelukkig mee. Zoals hij al de vakanties die hij bij hen doorbracht gelukkig was.
Het waren voor hem onvergetelijke dagen en meermalen vertelde hij hun van zijn liefde voor hen en vooral voor hun huis en het erf er rondom.
Hij bleef komen, hun leven lang. En telkens was het hun als kwam er een zoon op bezoek.
Toen kwam de dag dat hij hun over Ria vertelde. Hoe mooi ze was en hoe lief.
„Neem haar d'rs mee," zei Zwaantje. „Al is het maar voor een uurtje. Wij wille haar graag zien."
Maar Ria kwam niet. Zelfs niet voor dat ene uur.
„Ze is altijd zo bezet," verontschuldigde Fred dit tijdens zijn zaterdagse bezoeken. „Die mensen hebben een druk familieleven. Maar het komt nog wel."
Op een keer bracht hij een foto mee en de oude mensen bogen zich daarover heen. Klaas verzette daarvoor eerst zijn bril met de gouden randen en Zwaantje de hare met het donkere montuur.
En toen keken ze naar de weergave van al Ria's schoonheid. De zachte ogen, de vaste mond en de lichte frons op haar voorhoofd. En verder naar heel haar keurig uiterlijk dat niet te vergelijken was met dat van Margriet Prins, die nu geregeld bij hen in- en uitliep in haar vale shirt en lange broek.
„Hij is voor u," zei Fred. „Dan ziet u haar tenminste alvast."
Maar zelfs op de begrafenis van Zwaantje kwam Ria niet mee.
„Het is daar zo druk in de zaak," zei Fred ook nu weer.
En hij geloofde dat warempel zelf ook nog, dacht Klaas grimmig. Is die jongen dan blind? Hij lijkt warempel Jansje wel. Die geloofde ook alles wat Lieuwe zei.

Het is waar. Fred heeft veel van Jansje, wist hij dan opeens. Even meegaand en even gemakkelijk. Maar Fred heeft ook wel iets van mijn moeder. Je kunt hen meenemen tot aan een zekere grens en verder krijg je hen niet.
Het wordt tijd dat die trek van hem eens naar voren komt. Anders loopt die Ria straks over hem heen.
Ik zal hun iets geven waardoor er misschien een conflict ontstaat dat de ware liefde aantoont. Een liefde die meer geeft dan neemt.
Klaas dacht heel lang na. En toen vermaakte hij zijn huis aan Fred.

Negentiende hoofdstuk

Bij Fred ging alles weer zijn oude gang. Zich wassen, ontbijten, zijn werk op het laboratorium met daartussen de lunchpauze en dan terug naar zijn kosthuis voor de warme maaltijd en het avondvertier. Soms zat hij beneden en keek daar naar de televisie en waren de mijnheer en mevrouw niet thuis dan ging hij naar Ria. Dat zij op die avonden niet meer bij hem wilde komen liet hem onverschillig.

Als zij dan zo moe was, hij was het ook. Moe van alles na dat uurtje met Margriet. En een oplossing leek nog ver.

Toen het weer zaterdag was ging hij niet naar zijn huis toe en ook de toen volgende liet hij passeren. Hij ging de stad in en scharrelde wat over de markt, bezocht een bioscoop en verveelde zich. Iets wat eerder nooit gebeurd was. Toen genoot hij van het overvele dat er te zien was. Alleen het zitten op een terras was hem al een feest door de wonderlijke personen die daar langs gingen en allerlei vragen opriepen.

Op de avonden die hij bij Berger doorbracht werden meestal een paar spelletjes gedaan of als er iets was dat hun aantrok werd de televisie aangezet.

Tussendoor werd er iets over het dagelijks gebeuren verteld of een algemeen onderwerp aangeboord.

Maar waar ook over gepraat werd, nooit over het huis.

Waagde Ria's vader het soms eens om over een viswatertje te beginnen dan smoorden de twee dames deze vraag in de kiem. Die kwam nooit volledig ter sprake.

En ze deden het haast onmerkbaar door een schijnbaar plotseling opkomende vraag te stellen of iets aan te bieden en daar tegelijk een grapje over te maken. Voorheen was Fred zoiets nooit opgevallen doch nu ergerde hij zich daaraan.

Toen het weer vrijdag was belde hij Dora op om te zeggen dat hij de volgende dag weer kwam en of Margriet alles verzorgen wou.

„En je eet toch bij ons, éé," stelde Dora vast.

„Als het jou schikt heel graag," nam hij aan.
Wat moest je anders? Je kon daar toch niet wegblijven om Margriet? Wou ze hem niet zien, dan moest die zelf maar iets verzinnen.
Zou zij ook dat hunkerend verlangen naar zijn nabijheid hebben als hij naar het hare?
Zo zou het samen aan tafel zitten en net zo gewoon tegen elkaar doen als eerder wel inspanning vergen.
Je zou in haar ogen willen kijken, haar glimlach zien, even met je arm haar gestalte omvatten. Oh, je zou zoveel willen doen wat hun verhouding verraden zou. En dat mocht niet.
Vooral niet bij mensen als Albert en Dora die hem eens zo hartelijk hadden verwelkomd en dat bleven doen.
Die zaterdagmorgen viel er uit een lage grijze lucht een licht motregentje dat van de horizon een zwarte sluier maakte en het hele land een triest aanzien gaf. Toch reed Fred zachtjes genietend van dit beeld over de wegen. Straks zou hij dit alles dagelijks bezien, in elke weersgesteldheid. Hij zou turen door de mist, mopperen over de gladheid, tobben over de sneeuw en neuriën in de zonneschijn. Stormvlagen zouden aan zijn auto rukken, regen zou erlangsheen spoelen of hagel erop neerkletteren; het zou alles goed zijn wat er kwam, want hij reed van en naar zijn huis. Het enige echte huis dat hij ooit gekend of bezeten had. En nu had hij dit allebei.
Toen hij het dorp inkwam zag hij daar het gewone beeld van iedere zaterdagmorgen. De bakker, de groenteman, de melkventer, allemaal rijdende winkels waarvoor de huisvrouwen naar buiten kwamen om onder een kort maar gezellig praatje hun inkopen te doen.
Zou straks Ria ook . . . ?
Prettig babbelen kon ze. Dat had het leven in de salon haar wel geleerd. En aanpassen eveneens.
Maar hier? Toch . . . misschien . . . als ze van het dorp hield en de schoonheid ervan zag . . .
Enkelen groetten hem en hij groette terug met een hartelijk knikje. Toch aardig dat je bekenden kreeg. Dan voelde je dat je iemand was, een zeker persoon en niet zomaar een man die ergens woonde.
Toen hij thuis bij zijn woning aankwam had de regen opgehou-

den en scheen een waterig zonnetje tussen twee wolkenflarden door, dat alle aan de bomen hangende druppels tot schitterende diamantjes maakte.
Snel maakte hij de voordeur open en ging naar binnen, eerst naar de zijkamer waar de meubelen hem tegenglommen. Het was weer het eigen vertrouwde beeld. In de slaapkamer vond hij zijn bed verschoond en in de keuken alles voor het gebruik gereed.
Was Margriet er zelf nu ook maar bij. Maar hij vond niets van haar. Zelfs niet het briefje dat ze soms voor hem op de aanrecht achterliet. Dat had ze toch nog wel even kunnen doen.
Omdat het al te laat was voor de koffie scharrelde hij wat rond tot het middaguur en ging dan naar Albert en Dora voor de maaltijd. Maar ook die werd niet zoals hij had gehoopt.
„Ja, we benne maar met ons vijven," zei Dora toen ze zijn zoekende blik rond de tafel zag dwalen. „Margriet is naar de stad. Ze wil daar een paar boodschappen doen en gaat meteen effies naar een vriendin."
Dus bemoeide hij zich extra veel met Jacob en Wimjan om zijn teleurstelling te verbergen.
Wat hij had gehoopt kon Fred niet bedenken, maar niet dit; niet deze vlucht.
„Ik help wel even met de afwas," bood hij daarna aan.
Margriet kon nog komen. Alles was mogelijk.
Maar ze kwam niet. Margriet bleef de hele dag in de stad.
Er kwam echter wel iemand anders. Hij was juist weer in de voorkamer bezig na te gaan hoe daar de centrale verwarming moest worden aangebracht toen er achter zijn bescheiden auto een veel grotere stopte.
„Wat een slee," prevelde hij halfluid en ging weer verder tot de bel bij de voordeur beduidde dat het bezoek hem gold.
Hij ging er heen, opende de deur en zag daar een lange, kaarsrechte oude heer staan met felblauwe ogen en staalgrijs haar.
„Goeiemiddag," zei die heel gemoedelijk. „Mijn naam is Frederik Bootsman."
„Zo is de mijne ook," zei Fred strak. „Hoe maakt u het." Hij ging iets opzij en vervolgde dan: „Komt u binnen."
Terwijl wilde, dwaze gedachten door zijn hoofd gingen wist hij één ding heel zeker . . . dit moest de grootvader zijn die hem

zijn vader had willen onthouden en daarin, zij het langs een omweg, nog geslaagd was ook.
De ander stapte naar binnen en stak een hand toe die Fred even drukte.
„Heel goed," zei de ander dan. „En jij?"
„Oh, dat is in orde," antwoordde Fred.
„Mooi. Dat doet me genoegen. Weet je dat ik je grootvader ben?" vroeg hij verder.
„Ik vermoedde zoiets," zei Fred terwijl hij de deur van de zijkamer opende en de oude heer daar binnen liet gaan.
Verbaasd keek die daar rond.
„Al wat ik verwacht had . . ." prevelde hij halfluid, terwijl zijn stem even haperde. „Daar staat nog de stoel waar mijn grootvader in zat en alle spullen waar grootmoeder zo gek op was. En die staan hier zomaar in een kamer van dit lege huis."
„Mijn huis," zei Fred koel.
„Ja, hij heeft dat aan jou vermaakt, hè! Echt wat voor oom Klaas. Hij is altijd al een rare geweest."
„Vindt u? Ik heb er nooit iets van gemerkt."
„En wat doe je? Ga je hier wonen? Nee toch?"
„Vermoedelijk wel," hield Fred zich op de vlakte terwijl hij toezag hoe Freek zijn ogen in intense belangstelling van het ene meubelstuk naar het andere wendde en dan zijn blik langs alle andere voorwerpen liet gaan.
Het leek wel alsof de man iets terugzag waar hij lang naar had gehunkerd.
„Maar je werkt toch in Amsterdam?"
„Ja. En dat ligt ook niet dicht bij mijn kosthuis. Die reis maakt voor mij weinig verschil."
„En je bent toch verloofd, nietwaar?"
„Ja, dat is zo."
„En wil dat meisje ook zo leven?"
„Dat zal dan moeten. Maar hoe kunt u iets van mijn leven weten? Ik ken u niet eens."
„Ik jou evenmin. Maar ik heb evengoed je doen en laten steeds laten volgen. Jij bent mijn enige kleinzoon. Mijn dochters kregen alleen maar meisjes en die hebben zelf nog geen kinderen."
„Ik heb daar weinig van ontdekt."
„Waarvan? Van dat speuren?"

„Nee, van u als grootouders."
„Wacht even." Freek stak zijn hand op. „Laten we daar straks over spreken. Ik wil eerst graag het huis zien."
Dat gebeurde. Ze gingen van kamer naar keuken en verder. Met zoekende blikken nam Freek alles op tot de badkamer toe, die later was aangebracht en die de ruime bijkeuken had gehalveerd.
„Knap gedaan," prees hij dit. „Ik heb vroeger voor dit gedeelte en de achterste slaapkamer nog een soort van schets gemaakt. Is die doorloop daartussen ook nog gekomen?"
„Ja zeker."
Fred toonde het hem en zo kwamen ze beiden buiten. Ook hier nam Frederik alles goed in zich op en zo liepen ze om het huis heen.
Wat moet die man? Wat wil ie? vroeg Fred zich af. Hij doet bijna of het zijn eigendom is inplaats van het mijne.
„Staat het u wat aan?" vroeg hij tenslotte.
„Ja zeker. Met een stel andere ramen en een grotere dakkapel is het naar mijn zin."
„Dat is dan mooi," zei Fred stroef. „Maar die komen er niet. Ik laat dit zoals het is."
„Maar ik niet. Want ik koop je huis. Vraag maar geld."
Verbaasd keek Fred zijn grootvader aan. Was die man wel goed wijs? Toch wel, zijn blauwe ogen stonden helder in het scherp gesneden gezicht.
„Wat moet u, die zo'n mooie woning bezit die in zo'n prachtige streek staat, met dit doodgewone huis in een even gewoon dorp?" vroeg hij lachend.
„Ken jij mijn huis dan?" vroeg Freek gretig.
„Ik ben onlangs die kant toevallig eens langs gereden en heb het toen zien staan. Met zo'n naambord als dat van u kon ik niet mis zien."
„Maar jongen . . . waarom ben je niet aangekomen? Mijn vrouw was je daar vast dankbaar voor geweest."
„Ik heb daar niet eens aan gedacht."
Freek keek tussen de bomen door en langs het huis heen naar de verte waar Kees Dekkers koeien graasden.
„Dat komt allemaal door de houding van je moeder," zei hij grimmig. „Die wou na de dood van je vader niets meer met ons te maken hebben en dat is zo gebleven ook. Als ik daar zelf

geen maatregelen tegen had genomen, dan bestond je gewoon niet voor ons."
Fred trok zijn schouders op.
„Moeder zal daar haar reden voor hebben gehad. Maar komt u weer mee naar binnen, dan maak ik koffie, en wat het huis betreft, dat is niet te koop."
„Voor geld is alles te koop. Bepaal je prijs en ik neem het."
„Maar waarom dan toch?"
„Het onze wordt mijn vrouw te groot. Ze kan heel moeilijk de hulp krijgen die voor het onderhoud nodig is en haarzelf gaat het werk niet meer zo vlot van de hand als vroeger. En nu had ik al jarenlang idee in dit pand, ook wel door mijn herinneringen aan vroeger. Dit is tenslotte voor een paar oudere mensen gebouwd. Met centrale verwarming en al het moderne gerief moet het dus voor ons ook wel gaan. En dan met eens per week een werkster . . ."
„Als het om gemak gaat kunt u daar toch veel beter zelf een bungalow laten bouwen die nog meer voldoet," vond Fred. „Dit is ver van nieuw en . . ."
„Dat weet ik wel," onderbrak Freek hem. „Ik heb mijn plan heus wel goed overwogen."
„Maar kent uw vrouw dit huis ook?" hield Fred aan. „Zover ik weet is die hier evenmin geweest als uzelf in de laatste jaren. Het kan haar wel bar tegenvallen."
„Dat doet het niet. Ik heb haar tot vervelens toe verteld hoe het is. En ook hoeveel grond eromheen ligt. Precies genoeg om er mijn lege tijd mee te vullen. Nee, wij vinden het allebei een ideale woning met genoeg ruimte voor logés. En zeg nou maar wat je er voor wilt hebben."
„Eerst even koffie," waarschuwde Fred. Hij ging naar de keuken en bereidde die met alles wat Margriet daarvoor had klaargezet. Daarna bracht hij daarvan twee koppen naar de zijkamer, waar Freek juist bezig was zijn sigaret uit te doven.
„Rookt u veel?" vroeg Fred, die zag dat dit al zijn tweede was.
„Soms. Alleen als ik het druk heb. En jij?"
„Heel matig."
„Houwen zo!"
Ze dronken hun koffie en daarna begon Freek opnieuw:
„Nou jongen, zeg het dan maar."

Fred keek zijn grootvader vol aan.
„Het blijft zoals ik gezegd heb: mijn huis is niet te koop."
Freek keek streng terug.
„Denkt je meisje er ook zo over?"
„Dat weet ze nog niet zeker, maar als ze eenmaal met het idee vertrouwd is zal dat wel gaan."
„Dus je trouwt voorlopig nog wel niet?"
„Er moeten hier eerst nog een paar dingen gebeuren. De verwarming en zo meer. En dat moeten we eerst samen overleggen."
Dat Ria zo'n overleg tot in het eindeloze uitstelde hoefde deze man niet te weten.
„Dus je wilt nog niet?" vroeg Freek, opstaande.
„Helemaal nooit," zei Fred beslist.
„Jammer jongen. Je doet jezelf te kort. Als je eens wist hoeveel dit spul mij waard is."
„Zegt u het maar niet, het heeft geen zin."
„Laten we zo afspreken," hield Freek toch nog een deurtje open, „ik geef je drie maanden bedenktijd. Ben je van gedachten veranderd, bel mij dan even op. Of . . . ik weet beter: kom het ons zelf even zeggen, jongen."
Weer keken ze elkaar aan tot Freek opeens zei: „Weet jij dat je op mijn moeder lijkt?"
„Op Jansje Mantel?"
„Krek. Maar je hebt de natuur van haar vader, van de ouwe Frederik die onze stamvader is. Die man was ook zo vasthoudend."
„Heeft u die goed gekend?"
„O ja." Freek ging weer zitten en hij vroeg terug:
„Wil je weten hoe die was?"
„Graag," zei Fred popelend.
En de grootvader vertelde. Over Frederik en het leven van toen zover hij dat kende uit de verhalen van zijn moeder en uit eigen ervaring. Hij vertelde zo beeldend dat voor Fred het doen en laten zich werkelijk afspeelde.
En de klok die Margriet geregeld aan de gang hield tikte de minuten weg tot de grote wijzer een volle ronde verschoven was.
„Maar nu moet ik echt weg," zei Freek toen. „En als je je bedacht hebt kom je toch, hè? Of wacht . . . ik weet beter, kom evengoed en neem je meisje mee. Je moeder zal daar nou einde-

lijk wel vrede mee hebben. En daarbij . . . je bent toch baas over jezelf. Maar na die twee geweigerde brieven durfden wij haar niet meer te benaderen."
„En kon dat ook niet via oom Klaas? Die had veel invloed op moeder."
„Dat had gekund, ja. Maar met hem gingen we zomaar weinig om."
„Hoe kon dat? Oom hield juist graag de familie bij elkaar."
„Och, we hadden het druk en dan weet je het wel," hield Freek af.
Je kon tegen je kleinzoon toch niet zeggen dat je vrouw die mensen te alledaags vond, ondanks de positie van oom Klaas?
„Dus je komt binnenkort," viste hij nog snel naar een belofte.
„Ik zal wel zien," hield Fred dit in beraad.
Hij liet zijn grootvader uit en liep met hem naar diens auto waarvan de deugden en eigenschappen nog even besproken werden.
Toen gaven ze elkaar een hand.
„Dag mijn jongen. Tot ziens hè."
Fred aarzelde even, zijn blik gericht op de blauwe ogen tegenover hem die strak vragend op de zijne waren gericht.
„Dag grootvader. Tot ziens."
„Dank je Fred." De handdruk werd enkele seconden een stalen greep.
Daarna reed Freek weg doch hij gaf, voor hij uit het gezicht verdween, nog even een kort signaal dat Fred als een groet in de oren klonk.

Op diezelfde tijd stond Ria in de lege kapsalon tegenover haar baas. Een niet onknappe man van tegen de veertig. Slank en rijzig, het donkerblonde haar licht grijzend bij de slapen. De salon was verlaten want alle meisjes waren al vertrokken. Ria was echter zoals gewoonlijk nog even achtergebleven om te zien of er nog niet ergens iets vergeten was. Het was aangenaam toeven in dit geurige vertrek met zijn in lichtblauw gevatte spiegels en witte kaptafeltjes. Alles wat blinken kon deed dit ook en het geheel gaf een indruk van reinheid.
„Zeg Ria, kunt je al zeggen wanneer je denkt te trouwen?" had mijnheer Jager juist gevraagd.

Ria wrong haar vingers stijf ineen.
„Wist ik dat zelf maar," gaf ze voor.
„Kom. Jullie hebben nu toch zelf een woning. Ik dien het nou toch eens te weten met het oog op eigen plannen."
„Kijk, het zit zo . . ." begon Ria en vertelde dan eerst wat haperend en daarna vlug de toestand vanuit haar standpunt gezien.
„U begrijpt dus wel dat er van trouwen nog geen sprake is. Ten eerste wil ik dat Fred dat spul verkoopt en ten tweede dat hij, als we dit jaar weer geen woning krijgen toegewezen, hier iets koopt. Liefst een leuk flatje."
„En je wilt blijven werken?"
„Beslist."
„En als je verloofde niet toegeeft," hield hij aan.
Ria keek hem hulpzoekend aan.
„Ja . . . dan weet ik het niet," zuchtte ze.
„Maar ik wel. Dan stuur je die stijfkop voorgoed weg en je blijft gewoon hier waar voor jou een betere toekomst ligt. Ik kan nog niets zeggen kindje, maar als de tijd daar is . . . En dan heb jij helemaal geen perikelen meer. Denk er eens over na, Ria. En voel je er niet voor, beschouw dan mijn woorden als nooit gezegd. Wil je dat?"
Ria knikte. Ze moest denken . . . denken . . .
Toen Fred veel later zijn gewone, vertrouwde zaterdagavondbezoek bracht vond hij Ria zwijgzaam en afwezig. Doch omdat hij zelf ook veel had om aan te denken hinderde dit hem niet. En toen moeder Berger een partijtje bridge voorstelde leek alles weer gewoon.
Maar die nacht . . .
Zich kerend en woelend was Ria in haar bed nog meer wakker dan anders overdag. Ze had heel goed begrepen wat mijnheer Jager bedoelde, wat hij haar aanbood. Was er tussen Fred en haar niet die kwestie van dat huis geweest, dan was het nooit zover gekomen. Maar nu was het er wel. En eropingaan kon ze niet. Zoiets mocht ze Fred, ondanks hun huidig gekrakeel, niet aandoen. Daarvoor had hun verhouding te lang geduurd. Hoewel . . . een werkelijke verhouding kon je hun omgang van de laatste weken amper noemen. Het had meer van een vriendschappelijke omgang. Dat was wel eens pijnlijk. Want al gaf

zijzelf weinig om seksueel verkeer, ze wou toch graag begeerd worden door degene waar ze van hield. Dat hoorde nu eenmaal zo. En ze hield echt van Fred. Meer dan van enige andere man. Maar na al die jaren van terughoudendheid kon ze zelf niets uitlokken. En dat kwam allemaal door dat huis. Dat lelijke vervloekte huis in dat dooie dorp.

Je zou die oom . . .

Maar wat nu? Zondag maar weer met Fred praten op haar eigen manier, waarmee ze altijd zoveel bereikt had? En tegelijk heel rustig een ultimatum stellen?

Het zou moeten gebeuren.

Daar woog het aanbod van mijnheer Jager te zwaar voor.

Vreemd. Ze had die man nooit als een mogelijke echtgenoot gezien en toch trok hij haar als zodanig wel aan. En die zou mogelijk nooit meer van haar eisen dan zij kon geven.

Maar Fred . . . Fred . . .

Een bestaan zonder hem was onmogelijk. Ze moest hem overhalen. Ze moest. En niet later, maar morgen.

Dit was geen leven meer, dit werd een hel.

Fred moest dat huis verkopen en weer meegaan in hun vroegere plannen. Waar hij toen mee tevreden was zou hij het dan weer zijn. En zij zou hem daarbij helpen door heel lief te zijn. Hij was zo gevoelig voor elk blijk van genegenheid.

Hoewel . . . de laatste tijd . . .

Maar dat kwam wel weer. Als eerst dat huis maar niet meer tussen hen stond.

Ria zag zichzelf al in een mooie flat wonen en 's morgens naar haar werk gaan. Ze zag hen al zitten ontbijten, ze zag hen 's avonds samen de beslist nodige werkjes doen. Ze zag de inrichting, de meubelen, de stoffering, hun kleding, hun omgang met de familie en een gevoel van geluk verdreef een moment haar zorgen.

Doch dan was het er weer. Het erf, de woning en het afschuwelijke leven daar, ver van thuis en van Luus en Geert en de kinderen. En van Amsterdam. En hier lag haar leven, haar geluk.

Ze kon dat krijgen. Ze hoefde maar een paar woorden te zeggen en ze had het.

Als de prijs maar niet zo hoog was.

Twintigste hoofdstuk

Ria had geluk met haar plan. De volgende morgen belde Geert op dat Luus haar enkel had verstuikt en of moeder haar wou komen helpen. Dan haalde hij haar en vader over een uurtje wel op.
„Komen jullie ook," stelde mevrouw aan Ria voor. „Zo tegen koffietijd."
Ria knikte.
„Het kan wel iets later worden," bedacht ze dan.
„Dat hindert niet. We verwachten jullie in elk geval aan de maaltijd."
Van nu tot dan komen moeilijke uren, dacht Ria.
Doch schijnbaar opgewekt wuifde ze haar ouders na en zorgde alvast zelf voor koffie. Want het gesprek kon wel even duren. En dat deed het. Tegenover elkaar gezeten bepleitte Fred zijn kant van de kwestie, terwijl zij hem het onzinnige van zijn plannen voorhield.
„Je bent gek," beet zij, de altijd geduldige, tactvolle Ria hem tenslotte toe. „Je kunt hier alles even aangenaam en gemakkelijk krijgen en je wilt juist last en ongerief. Bovendien denk je alleen maar aan jezelf, het is precies alsof ik niet meetel. Als je echt van iemand houdt doe je zo niet, dan heb je alles voor die ander over."
„Precies. En dat is wederzijds ook zo," zei Fred kalm.
Wat is ze nou mooi, dacht hij. Die fonkelende ogen, de bloedrode lippen en die harde trek om haar mond. Maar het deed hem niets, terwijl hij haar nu toch in zijn armen had moeten nemen en dingen beloven waar hij later spijt van zou hebben. Inplaats daarvan dronk hij bedaard zijn koffie op en vertelde haar dan over de grootvader die hem gister had bezocht en zijn huis wilde kopen.
„Voor elke prijs die ik zou vragen," voegde hij er aan toe.
„Maar Fred, dan zijn we er," brak Ria uitgelaten los. „Je doet het toch, hè? En hoogstwaarschijnlijk vervalt het dan later toch

weer aan jou en kan je het evengoed nog gaan bewonen. En dan is onze toestand allicht zo veranderd dat ik dat ook graag wil."
Dat heb je slim bedacht, vond Fred. Alleen trap ik er niet in.
„Ik heb het afgewezen," zei hij. „Ik wil dit huis hebben, houwen en bewonen en daar wijk ik niet van af."
„En ik wil het beslist niet," hield Ria vol.
„Dan . . . ?" Fred keek haar strak aan.
„Precies," zei Ria. Ze nam de verlovingsring van haar vinger en legde die voor hem op het lage tafeltje. Het goud ving de zonneglans op en straalde die in een smalle baan terug.
Nu zal hij toegeven, dacht ze fel. Wat is Fred zonder mij? En . . . wat ben ik zonder hem? Maar ik moet zo wel doen om een beslissing te krijgen.
Maar Fred nam de ring op en stak die bij zich. Daarna schoof hij met enige moeite de zijne af en reikte die aan haar.
„Dan is het beter zo," vulde hij zijn pas gestelde vraag aan. Slechts zijn bleek en strak gehouden gezicht verried enige emotie.
Verder hield hij zichzelf volkomen in bedwang.
Geen scènes, nam hij zich voor. We zijn volwassen mensen en weten wat we doen.
Hij stond op en Ria eveneens. Opnieuw keken ze elkaar aan. Zij verbijsterd, hij schijnbaar rustig.
Even keek hij nog de kamer rond die in de laatste paar jaren een soort van thuis voor hem was geweest. Maar toch nooit helemaal.
„Dan ga ik maar, hè," zei hij gesmoord. „Ik zal wel even een taxi bellen die jou naar Luus brengt."
Dit laatste, deze zorg van hem, dreef tranen in haar ogen. Ze liep naar hem toe, legde haar handen op zijn schouders en haar hoofd tegen zijn borst.
„Oh Fred . . ." snikte ze.
De troostende armen die ze om zich heen verlangde bleven echter achterwege. Fred bleef gewoon staan en zei enkel:
„Jammer, hè. Maar toch is het beter zo."
En hij duwde haar zachtjes terug. Daarna belde hij rustig een taxi, hielp Ria in haar mantel en wachtte dan tot zij alles had afgesloten en vertrokken was. Hij keek de auto na tot die

uit het gezicht was en een brok uit zijn leven meenam. „En nou naar mijn huis," prevelde hij. „Hier wordt het voor mij een dag vol ellende; daar vind ik misschien troost in al het eigene dat er is."
Naar zijn kosthuis hoefde hij niet terug te gaan. Daar werd niet op hem gerekend, net zomin als op elke andere zondag. Hij bracht die immers altijd bij de familie Berger door.
In de stad blijven had ook geen zin. Nee, hij ging daarheen. Margriet zorgde altijd dat daar alles in orde was en werk vond je er vanzelf.
Werk . . . Hij was juist van plan geweest om de volgende maand zijn laatste vakantiedagen op te nemen en het dan zo te regelen dat in die tijd de verwarming zou worden aangelegd.
Dat was toen hij er nog op rekende dat Ria . . .
Stil nu, dat was voorbij. Hij moest nu op een andere toekomst rekenen. En . . . misschien later . . . op Margriet.
Die had hem echter na dat onvergetelijke uur zo zorgvuldig vermeden dat het vooreerst wel moeilijk zou zijn haar te spreken al verzorgde ze hem ongezien beter dan ooit. En dat gaf je toch enige hoop.
In een kalm gangetje reed Fred de bekende weg naar huis. Hij zag de verre krans van dorpen, de koeien, de schapen en een enkel paard. Alles even vredig op deze zondagmorgen. En heel langzaam week de spanning uit hem weg tot hij deze toestand als een soort bevrijding voelde. Zo stond hij even later voor zijn huis.
„Zo, was jij daar weer? En dat op zondag?" zei Albert Prins die toevallig langs kwam lopen toen Fred zijn auto verliet. „Zal ik maar effies tegen Dora zegge dat we een gast krijge?"
„Als dat schikt . . ." hield Fred zich weifelend.
„Dat doet het altijd. Waar er vijf van ete, daar ete er ook zes van," bedacht Albert.
„Dan is het aangenomen."
„Mooi. Ik zal het vertelle. Kom meteen maar mee."
Margriet . . . dacht Fred. Zou ze thuis zijn? En hoe zal ze tegenover mij zijn?
Een warm gevoel van verwachting overviel hem toen hij Albert volgde naar diens huis.
„We gaan maar effies achterom éé," zei die toen ze daar waren.

„Mij best," stemde Fred daar mee in.
Nog nauwelijks waren ze echter een groepje heesters gepasseerd of twee kleine struikrovers stormden, gewapend met houten zwaarden, op hen af onder geweldig „Pau, Pau"-geroep dat hun schieten moest voorstellen.
Met de handen omhoog bleven de mannen staan, terwijl Albert jammerend om genade smeekte. Terwijl de kinderen naar hem keken deed Fred echter een uitval en omvatte in één greep de twee jongens met zijn armen.
„Gevangen," deed hij juichend. „En nou de cel in. Geef op, jullie wapens."
Jacob en Wimjan gaven zich vrijwillig over.
„Maar als we groot benne krijge we jou wel," dreigde Jacob nog.
Zo werd het een vrolijk viertal dat bij Dora de keuken binnenstapte. Deze paar minuten waren voor Fred nodig geweest om gewoon te doen.
„Ik heb een gast meegenomen," zei Albert.
„Dat is best," vond Dora. „Jongens, zeg effies tegen Margriet dat ze er een bord bijzette moet."
Die was dus in de kamer bezig met het dekken van de tafel. Hoe zou haar houding tegenover hem zijn en hoe moest hij zich houden? Gewoon doen maar; dit moest zijn eigen beloop hebben.
„Je komt anders nooit alleen op zondag. Had Ria d'rs geen zin om mee te gaan?" vroeg Dora nu.
„Nee, die is vandaag naar haar zuster," antwoordde Fred een beetje gedwongen.
„Och ja, elk zijn zin," ging zij er niet verder op in. Dat stel had zeker ruzie gehad en waren toen ieder een kant uit gegaan. Enfin, dan hadden ze vanavond iets af te zoenen.
Terwijl Dora nog even met het eten bezig was en Albert alvast naar de kamer ging treuzelde Fred nog wat voor het grote raam dat op de boerderij uitzag. Eens hoorde het stuk grond waarop dit huis stond ook bij die plaats, evenals het gedeelte dat nu van hem was.
Hij verlangde er soms naar om de oude Frederik Mantel die dit alles eens bezeten had te zien en te spreken en ook zij die na hem kwamen en waar hij uit voortgekomen was. Niet de anderen, nee hij wou enkel de rechte lijn leren kennen. Vooral nu

hij zijn grootvader had gezien. Helaas was dat een onmogelijk verlangen. Hij zou het dus met de verhalen van anderen moeten doen. En daarom alleen was het al goed om de ouwe Freek eens te gaan bezoeken. En misschien viel die trotse grootmoeder ook wel wat mee. Als zij in zijn huis wilde wonen zat er toch nog wel een eenvoudig trekje in haar karakter.
Met moeder Emmie beplooide hij het wel wat. Dat met zijn vader was tenslotte al zo'n oude geschiedenis.
Nu, met Margriet was het heel anders. Dit was urgent en dus heel moeilijk. Hij had Alberts uitnodiging beter niet kunnen aannemen. Honger had hij niet en anders was er thuis nog wel een stuk brood aanwezig.
Thuis . . . wat een heerlijk woord. En dat was het. Zijn thuis.
En straks . . . over enkele maanden . . .
Margriet zat tegenover hem aan tafel. Hun begroeting was gewoon geweest. Ze zei enkel:
„Had ik geweten dat je vandaag kwam, dan had ik alles van gister even opgeruimd."
„Dat kan straks ook wel," vond Fred. „Ik wil graag dat je even meegaat om een en ander over de centrale verwarming aan te wijzen. Daar zit ik mee in de knoop. En de jongens mogen mee om mijn speelgoed van vroeger te zien."
Het antwoord van Margriet ging in het gejuich van de kinderen ten onder. Fred beschouwde het echter als een toestemming en praatte er gewoon op door. Tijdens dat gesprek legde hij even mes en vork neer en bewoog allebei zijn handen boven zijn bord om iets aan te duiden. En toen zag Margriet wat ze tevoren nog niet had opgemerkt. Fred droeg geen ring meer. Dat van hun eerste kennismaking af gehate ding ontbrak aan zijn vinger. En hij kwam op zondag. De twee enige keren dat hij dit deed was Ria mee. Eenmaal alleen. Eenmaal met haar familie. Ze wist het nog precies.
Zou het . . . ? Nee, dat was zelfs te mooi om op te hopen.
Terwijl Fred sprak, vroeg en antwoordde, gingen zijn diepste gedachten hun eigen weg.
Hij verlangde er sterk naar heel even Margriet aan te raken. Haar hand, haar arm, haar wang. Zomaar even een lichte streling. En haar dan te zien wegvluchten over het erf en haar te volgen tot ze buiten adem in zijn armen viel en haar dan te

kussen tot ze om genade smeekte. Zij hield van stoeien. Hoe dikwijls had hij haar dat met Jacob en Wimjan zien doen. En soms zelfs met haar vader, die dan zijn gespreide vingers in haar lokken stak en haar zo tot rust dwong.
Ria hield niet van stoeien. Hij kon zich haar niet voorstellen hoe zij gekleed in een vale spijkerbroek door het gras zou rennen. Zoiets lag haar niet. Ze zou het niet kunnen, al wilde ze.
„Je had gister zeker hoog bezoek?" vorste Albert tijdens het dessert. „Die kerel reed in een slee . . ."
„Dat was mijn grootvader," vertelde Fred.
„Freek?" barstte Dora verbaasd los. „Nou, die ken dat wel doen. Maar wat moest ie bij jou? Het is toch altijd nog kwaad water tussen jullie?"
„Tussen hem en mijn moeder wel," zei Fred. „Maar voor mij was ie een gewone vreemdeling."
„Wat moest ie? Of kwam ie zomaar? Ik zou hem wel niet meer herkend hewwe."
„Wilt u dat wel? Nou, de mogelijkheid bestaat. Hij wil namelijk mijn huis kopen."
„Maar dat doe je toch niet?" vroeg Margriet fel.
Fred maakte een wankelende beweging met zijn ringloze hand.
„Misschien. Ik weet het nog niet," plaagde hij.
Ze lachte terug.
„Dan had je centrale verwarming geen zin," schoot haar te binnen.
„En wou Freek hier zelf wonen?" hield Dora aan. „Hoe bestaat het."
„Nostalgie," deed Margriet wijs. „Net als de huidige eigenaar."
„En wat je er zocht, dat vind je meestal niet meer," meende Albert.
„Maar wel vind je er soms iets anders dat je nog meer aantrekt," zei Fred langzaam, met zijn ogen strak op Margriet gericht die blozend terugkeek.
Dora zag die blik en speurde dan, bijna onbewust, naar Freds vingers.
„Waar is je ring?" deed ze dan bezorgd. „Je hewwe die toch zeker niet strooid?"
„Nee. Mijn verloving is uit."

„Och . . ." zei Albert meewarig. Ria had een warm plekje in zijn hart. Ze was zo mooi en zo lief.
„Nou ja. Zuk gebeurt meer," zei Dora met iets in haar stem dat geen verdere redenering toestond. Dit was een zaak tussen Fred en dat meisje.
Toch vroeg Margriet nog zachtjes:
„Is het om je huis?"
„Dat ook. Maar om nog veel meer."
Dit laatste voelde hij pas toen hij het zei. Het was tussen Ria en hem al wekenlang een soort van elkaar loslaten geweest.
„Treur niet. Een goed huwelijk moet zes keer uit en aan," troostte Albert. „Mag ik nog een stukje pudding, vrouw."
„Jij slokop. Je wordt veel te dik," waarschuwde ze, maar Albert kreeg het evengoed.
„Gaan jullie nou maar," drong ze daarna aan. „Nou de jongens eenmaal van dat speelgoed hoord hewwe benne die toch niet te houwen. Wij wasse wel effies af, éé, Albert."
„Welja, beul mijn maar af," verweet die lachend en dan opeens tegen Margriet: „Wel meid, wat heb jij een kleur."
En met het oude gebaar verdwenen zijn vingers tussen haar haren die in krullen zijn vingers omvatten.
„Denk er om," waarschuwde hij dan nog even. „Je gaat nou met een vrije jongen op stap 'oor."
Buiten had de zon de ijle nevel die tevoren als een gouden waas over het land zweefde, opgelost en toonde nu de wijde omtrek in al zijn kleuren.
Bij de poort van zijn huis haalden hij en Margriet elk een sleutel te voorschijn.
„Wat zullen we?" weifelde Fred terwijl ze elkaar toelachten om ditzelfde gebaar.
„Aan jou de eer. Dus de voordeur maar," besloot zij met een ernst alsof ze haar toekomst in zijn handen legde.
Eenmaal binnen ging Fred met de jongens naar boven, haalde daar uit een hem nog bekend plekje een kist te voorschijn en toonde hun het daarin aanwezige speelgoed dat hij vroeger als het zijne beschouwde.
Dolblij knielden ze ernaast en hadden oog noch oor meer voor iets anders.
Beneden gekomen vond hij Margriet in de keuken aan de afwas.

Stil kwam hij naast haar staan en keek naar de bezige handen. Nu komt het er op aan, wist hij. Al wat ik nu zeg of doe is belangrijk voor altijd. Ik moet nu deze schuwe vogel zien te temmen.
En dus vroeg hij zachtjes: „Wil je me nou opeens al niet meer aankijken ook?"
„Welja, waarom niet?" deed ze dapper hoewel haar knieën beefden. „Is je verloving echt uit?"
„Ja, voorgoed."
Het zou hem voorlopig nog wel eens moeilijk zijn om aan Ria Berger als aan een vreemde te denken, thuishorend in een periode die voorbij was.
Maar op dit moment, nu Margriet zo dicht naast hem stond dat hij bijna zijn arm om haar heen kon slaan, nu leek hem dat alweer een ver verleden toe. Want dit was de dag die hij nooit gedacht had te zullen beleven, al had hij meermalen gedroomd hoe die zou zijn.
Goed, hij had tenslotte Ria's beslissing wel iets geforceerd toen hij haar met één woord voor een definitieve keus stelde, maar eens moest die toch vallen.
Zijn ogen lieten Margriets handen niet los.
Smal, met goed gevormde vingers en blanke nagels. Handen die je verlangde in de jouwe te nemen en daar je lot aan toe te vertrouwen.
„Die Margriet is toch zo'n driftkop," had Albert hem na een kort twistgesprek met zijn dochter eens verteld.
„Maar ze is zo weer goed ook," voegde Dora daar toen vergoelijkend aan toe.
Met die drift zou hij dus moeten leren leven. Hij, die aan zoiets niet gewend was en nooit anders dan een zachte dwang had gekend, waarvoor hij altijd bezweek. Behalve deze laatste keer.
Hij boog zich dichter naar Margriet toe en rook de geur van haar haren. De prettige geur van iets dat zindelijk was en zuiver. Een geur waar hij van hield en die hem opwond en drong om iets te zeggen of te doen.
„Blijf je nog lang bezig?" vroeg hij tenslotte.
„Hoezo?" Ze keek hem opnieuw even aan. De groenige ogen straalden in de zwarte omlijsting van haar wimpers en hij zag haar smal gezichtje blozen.

„Ik wil met je praten."
„Wel, dat kan. Nog even."
En ik sta hier maar, mokte hij tegen zichzelf. Waarom neem ik haar nu niet in mijn armen, waarom zoen ik haar niet? Zou Ria nou toch nog tussen ons staan?
Maar ik ben immers vrij. Helemaal, totaal vrij!
„Zo, ik ben klaar," zei Margriet nu terwijl ze de theedoek op een rekje hing. „En wat wou je nog zeggen? Hoe je de verwarming wilt?"
„De verwarming?" ging hij hier op in. „Wel die moet precies zo worden aangelegd als mijn buurmeisje dat wil. En verder moet hier ook alles worden zoals zij dat wil."
„Ik wist niet dat je in Amsterdam een buurmeisje had. Is het een aardig kind?" hield ze aan.
Zo moet het, dacht ze. Geen zwaar gesprek, maar alles licht en luchtig. We weten evengoed wel wat we aan elkaar hebben.
Boven hoorde ze haar broertjes stommelen en praten.
„Hoe lief ons kleine buurmeisje daar ook is, van een huishouding heeft ze nog weinig begrip," zei hij van heel dichtbij. „Ze is nog maar vier. Nee, ik bedoel het buurmeisje waar ik voor Kerstmis mee trouwen ga."
„Als zij dat dan ook maar wil," bleef ze op de vlakte.
Hij nam haar kin in zijn hand en wendde haar gezicht naar het zijne.
„En wil ze?" vroeg hij dwingend, zijn sterke blauwe ogen fel op de hare gericht. Hij voelde haar beven. Even scheen Margriet nog te aarzelen.
Haar lippen bewogen doch er kwam geen klank.
Toen zei ze zachtjes:
„Ja. Of ik wou of niet, ik heb immers aldoor al van je gehouden en naar je verlangd."
„En ik naar jou."
Toen was zijn mond op de hare en vergaten ze even uur en tijd tot een gebrul van boven hen weer tot de orde riep.
„Wimjan slaat me!" schreeuwde Jacob.
„Maar hij heb mijn knepen," brulde die terug.
„Even orde scheppen," zei Margriet en ze rende naar boven.
Kerstmis . . . dacht Fred vrolijk. Hoe durfde ik dat te zeggen. Hoe kwam ik daar ineens op? En het kan. Als Margriet wil en

Albert het goed vindt. Waarom zullen we wachten? Ik wil al mijn geluksdagen plukken nu ik ze krijgen kan. Mijn hele leven zie ik op dit moment voor me als een zonnig pad. En als er later misschien eens duisternis komt en slecht weer dan zullen we samen zijn.
Toen boven de vrede hersteld was, kwam Margriet weer naar beneden en vonden ze elkaar opnieuw in de vrijwel lege keuken. Doch de mooiste salon kon hen niet meer geluk geven dan deze kale ruimte.
„Ik was bang dat je nee zou zeggen," bekende Fred. „Je deed de laatste dagen zo schuw. Als ik kwam was je er nooit. En ik verlangde naar je."
„Tussen toen en nu ligt een groot verschil," zei Margriet. „Jij bent nu vrij. Maar is eind december niet wat vlug na dit van nu?"
„O nee, liefje. Tussen Ria en mij was het al maanden voorbij. Alleen wisten we dat zelf niet."
„Nou, dan zal ik dat maar geloven," plaagde ze weer zachtjes. En meteen kroop ze in zijn armen terug.
„Maar je vader?" weifelde Fred dan opeens. „Zou die het niet een beetje raar vinden?"
„Misschien," zei Margriet. „Maar dat praat ik hem wel uit zijn hoofd."
„En Dora?"
„Die is allang blij dat ik met een fatsoenlijke jongen uit haar eigen familie trouw. Zij was niet altijd over mij tevreden wat mijn vrienden betrof. Dora houdt van nette, degelijke kostuums voor de heren en korte haren. Alleen snor en baard zijn toegestaan."
Even later dronken ze thee met de broertjes en gingen dan naar huis terug waar Albert en Dora al aan hun houding zagen dat ze het eens waren.
Nog diezelfde avond werd er gepraat. Al mocht deze plotselinge overgang in hun verhouding Albert misschien bevreemden, hij liet daarvan niets blijken. Dat was hùn zaak en niet de zijne. En dus liet hij het maar zo. Wel begreep hij niet hoe Fred een beeldschoon meisje als Ria opzij zetten kon voor zijn doodgewone, niet eens knappe dochter. Dan moest dit wel de ware liefde zijn, vond hij.

Fred bleef die nacht over en sliep in zijn eigen woning.
„Om alvast aan de reis te wennen," gaf hij voor.
De volgende morgen moest hij dus vroeg opstaan, want hij wilde eerst nog even bij zijn kosthuis aan voor hij naar zijn werk ging.
En hij stònd vroeg op. Na zich gewassen en gekleed te hebben ging hij de achterdeur uit en liep even het erf af naar de sloot. Het was stil weer, met af en toe een licht vlaagje wind. De laagstaande zon scheen door het lover en liet duidelijk zien hoe het gebladerte al ging verkleuren. Zo nu en dan dwarrelde er langzaam een blad naar beneden. De rozebottels en de sneeuwbes, die het erf van de moestuin scheidden, stonden nog volop in blad. Overal was het stil, het flauwste gerucht zou in de omtrek hoorbaar zijn. In het water weerspiegelden zich een paar takken en ook de grijze lucht. Toen hoorde hij opeens in de verte het komende en gaande geronk van een bromfiets. Even nog stond hij daarna alleen in de stilte tot de kerkklok sloeg. Zachtjes telde hij de slagen en liep dan weer terug. Onder het gaan keek hij met zuivere genegenheid naar zijn huis. En hij dacht aan oom Klaas. Diens wens had hem hier gebracht naar een diep en waar geluk dat hij anders nooit zou hebben gekend.
En met grote blijdschap prevelde Fred onder het gaan:
„Frederik Mantel, ik bedank je omdat je dit huis voor mij hebt gebouwd en jou, Klaas Mantel, omdat je het me hebt gegeven."
Want beter dan het er nu met hem voorstond konden die twee het niet hebben bedoeld.

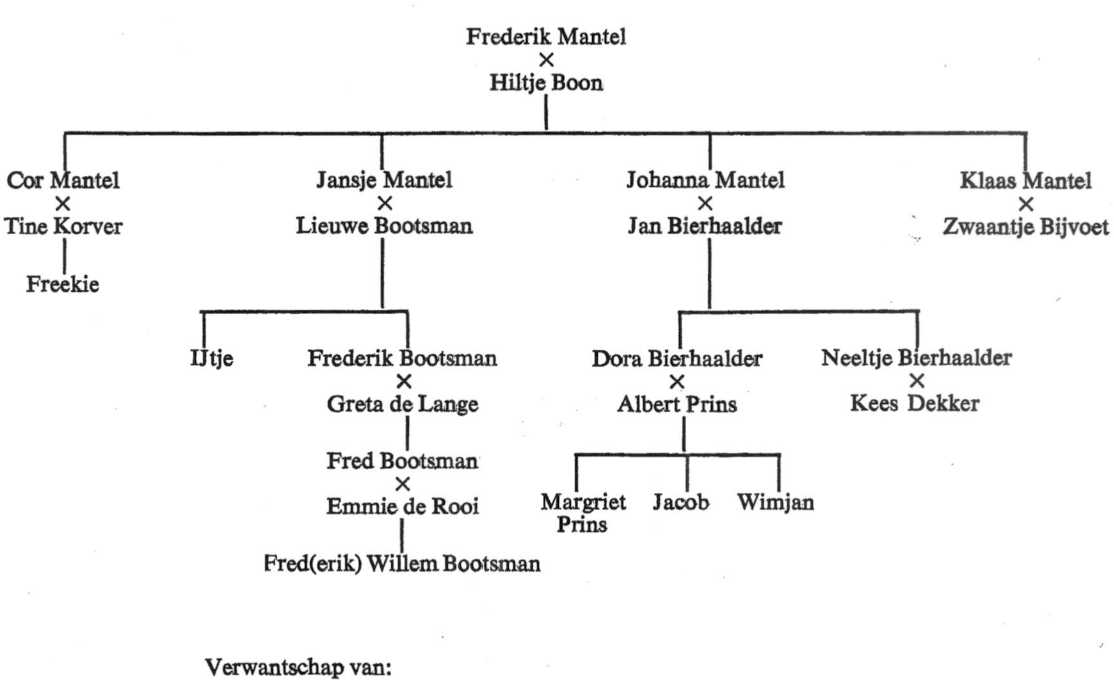

Verwantschap van:
Klaas Mantel – Fred. W. Bootsman – Margriet Prins